Uwe Wittstock

Der Familienplanet

Uwe Wittstock

Der Familienplanet

Eltern, Kinder, Katastrophen

Mit Illustrationen von
Manfred Bofinger

Verlag C. H. Beck

Mit einem Gruß an Berthold Seewald
von Familienplanet zu Familienplanet

2., unveränderte Auflage 2005

Umschlagentwurf: Wunderamt, München
Umschlagabbildung: Manfred Bofinger
Druck und Einband: Ebner & Spiegel, Ulm
Gedruckt auf säurefreiem, alterungsbeständigem Papier
(hergestellt aus chlorfrei gebleichtem Zellstoff)
Printed in Germany
ISBN 3 406 52294 7

www.beck.de

Worum geht's hier eigentlich?

Hartnäckige Gerüchte besagen, Eltern setzten Kinder in die Welt. Das stimmt natürlich nicht. Vielmehr sind es die Kinder, die ihre Eltern in eine neue, seltsame Welt versetzen. Auf den Familienplaneten. Auf diesem fremdartigen Gestirn ist alles anders, geheimnisvoll und unfassbar. Die zuvor kinder- und deshalb komplett ahnungslosen Erwachsenen stoßen hier auf so erstaunliche Erscheinungen wie Pubertätskrisen, Super-Soaker, Elternabende, Bro'Sis oder diese rutschigen kleinen Legosteine auf der obersten Treppenstufe.

Auf dem speziellen Familienplaneten, auf den es Annette und mich verschlagen hat, leben Nicolas, Marten und Lennart. Um diese drei und ihre unheimlichen Begegnungen der alltäglichen Art geht es in den folgenden Geschichten. Ein wenig geht es auch um Annette und mich, soweit die drei in den Geschichten Platz für uns gelassen haben. Das tun sie allerdings selten, denn Lennart ist jetzt sechs Jahre alt, Marten ist neun und Nicolas zwölf und in diesem Alter sind Kinder recht raumgreifend. Ungefähr so raumgreifend wie in der Zeit davor und danach.

Die Geschichten erschienen in ein wenig anderer Form zuerst als Kolumne in der «Welt». Ich wollte mit ihnen gern Nachrichten aussenden an Nachbargestirne, um mitzuteilen wie das Leben auf unserem Planeten aussieht. Es ist, glaube ich, ganz anders und ganz genauso wie auf allen Familienplaneten.

Die Schrecken der Nächte und der Finsternis

Marten ist ein stilles Kind. Unser stillstes. Gestern ließ er die ganze Nacht nichts von sich hören. Es war herrlich. Bis er sein neunjähriges Patschhändchen auf unsere Schlafzimmerklinke knallte, gegen die friedlich schlummernde Tür sprang und neben dem Bett stand. So gegen drei Uhr früh. Kann sein, dass Annette und ich einen irgendwie beunruhigenden Eindruck auf ihn machten: Zwei aus den Kissen gerissene Köpfe, zwei schreckensblasse Gesichter, vier grauengeweitete Augen. Aber allem Anschein nach hat er bei unserem Anblick keinen Schaden genommen. Zumindest hat er sich nichts anmerken lassen.

«Gut, dass ihr wach seid», freute er sich, «ich dachte schon, ihr schlaft noch.»

Marten drängte sich zwischen uns, unter beide Decken, wie immer wenn er nachts vorbeischaut. Allerdings nicht um weiterzuschlafen, sondern um sich zu winden und zu wälzen. Was soll er sonst auch tun, schließlich schmeißen wir alle Taschenlampen, Spielzeugsoldaten, Laserschwerter, Super-Soaker, die er für seinen Kampf gegen die Mächte der Finsternis braucht, aus dem Bett mit der lebensfremden Begründung, er habe nichts, absolut gar nichts zu befürchten. Lächerlich.

Menschen mit Kindern, dachte ich, während er mir sein Knie rhythmisch in die Rippen rammte, leben in einer anderen Welt als Menschen ohne Kinder. Auf unserem Planeten gilt beispielsweise eine ureigene Zeitordnung. Für jeden, der nicht gegen drei Uhr geweckt wird, wirkt es ein wenig seltsam, wenn Erwachsene noch vor der Tagesschau mit glasigem Blick in Richtung Bett schielen. Oder wenn sie im Theater schon während des ersten Aktes aufseufzend in den Schoß des Sitznachbarn sinken. Oder wenn sie sich als heute gut Vierzigjährige Sorgen über den Zustand der Rentenkassen im Jahre 2070 machen.

«Du schnarchst», brummte Marten und knallte mir seine Ferse gegen das Schienbein. Ich drehte mich zur Seite und gab mir Mühe. Für Leute ohne Kinder, dachte ich, sind Tagesschau oder Theater ein Klacks, und was nach, sagen wir, 2040 kommt, kann ihnen schnurz sein. Alle Uhren gehen für sie anders. Und wenn sie doch mal müde sind, dann nicht, weil sie früh geweckt werden, sondern weil sie aus eigener Kraft die schönsten Schlafstörungen hinkriegen. So eine Schlafstörung muss dann von Schlaftherapeuten in Schlafkliniken kuriert werden. Und sie macht als Entschuldigung viel mehr her, wenn man mal wieder von den Kollegen während einer Konferenz mit dem Kopf auf der Tischplatte erwischt worden ist.

«Wie soll ich schlafen, wenn du so'n Krach machst», fauchte mir Marten ins Ohr. Ich rollte mich auf die andere Seite und atmete leis und sacht. Leute, dachte ich, die keine Kinder haben, können sich auch länger vormachen, sie seien noch jung. Eltern dagegen sehen rasch alt aus. Sind Söhne erst einmal zwölf wie Nicolas, machen sie ihrem Vater haarsträubend schnell klar, dass die Tage, in denen er bei der familieninternen Sportwertung den allseits erwarteten Spitzenplatz einnimmt, gezählt sind. Zu Weihnachten beispielsweise habe ich einen Tischfußball gekauft. Heiligabend erledigte ich Nicolas serienweise 10:0. Am ersten Weihnachtsfeiertag 10:4 oder 10:6. Am zweiten nahm er mich 5:10 auseinander – und ließ sofort alle Bälle verschwinden. Keine Chance auf Revanche. Stundenlang habe ich sein Zimmer auf den Kopf gestellt: Nichts, nur sein triumphierendes Grinsen.

«Du Schnarcher! Du bist einfach zu laut», wütete Marten, robbte aus dem Bett und stapfte zurück in sein Zimmer. Annette lächelte dazu mit geschlossenen Augen, wie einst wohl die Steinzeitfrau ihren Steinzeitmann anlächelte, nachdem er den Bären aus der gemeinsamen Reihenhaus-Höhle vertrieben hatte. In diesem Moment kam ich mir sehr stark vor, Elternschaft hat eben auch schöne Augenblicke. Wenn man nur nicht so müde wäre.

Unaufgeräumter Versuch über die Pubertät

«Willst du nicht mal dein Zimmer aufräumen?»
«Öö, issoch.»
Öö heißt so viel wie: Nö. Issoch so viel wie: Ist doch. Die Tonlage der Antwort lässt zartes Genervtsein anklingen. Nicolas steht bis zu den Knöcheln in einer bedrohlich wirkenden, amorphen Masse, die vor allem aus alten Socken, Schulbüchern, von der Wand gesunkenen Postern, Comic-Heften und bizarren Lego-Landschaften besteht. Neuerdings wippt Nicolas ein wenig in den Knien, wenn er vor mir steht, und schiebt das Becken vor. Dazu schwingt er leicht die Schultern wie ein Boxer, der Streit sucht.

«Ich will, dass du jetzt aufräumst», sage ich. Fachleute in Erziehungsfragen raten, Kindern klare Anweisungen zu geben und den Anweisungssatz immer mit ‹ich› zu beginnen. Ich-Botschaften, meinen sie, kommen bei Kindern besser an.

«Kann nich, Alta», ächzt Nicolas, lässt sich rücklings aufs Bett kippen und fischt ein Manga-Heft aus der trüben Flut, die gegen die Matratze brandet, «muss grad lesen.»

Klar, Pubertät. Eltern wissen von Anfang an, dass diese Zeit der Prüfung auf sie zukommt. Sie dürfen sich also nicht beschweren. Schon gar nicht wegen eines solchen Erziehungsproblem-Klassikers wie dem unaufgeräumten Zimmer. In der Pubertät, dachte ich früher immer, da hat

Nicolas Ärger wegen Mädchen, Pickeln, Zahnspangen und lauter Musik. Im Moment sieht es aber eher so aus, als wäre ich derjenige, der Ärger hat. Vor gerade mal zwölf Jahren lag Nicolas auf meinem Arm und quietschte vor Vergnügen, wenn ich mit den Fingern auf seinen Bauch trommelte. Noch im Sommer, bevor er zum Knie-Wipper und Schultern-Schwinger mutierte, quietschte er vor Vergnügen, wenn wir Fußball spielten und ich ihn ausnahmsweise mal ein Tor schließen ließ. Aber jetzt:

«Papa», brummt er, «kannst du mal rausgehen. Ich brauch Ruhe», und dreht den CD-Player lauter.

Fachleute in Erziehungsfragen warnen davor, Kinder, die nicht tun, was sie tun sollen, durch kleine Prämien zu überreden. Bestechung sei das, sagen sie. Kinder müssten lernen, Pflichten ohne Gegenleistung zu erfüllen. Besonders in der Pubertät. Goldene Worte.

«Sobald du aufgeräumt hast, könnten wir draußen ein bisschen Fußball spielen», sage ich. «Hast du Lust?» Silbrige Sätze.

«Echt?» Nicolas sitzt aufrecht im Bett. Als ich nicke, springt er raus und schiebt mit ausgebreiteten Armen den Bodensatz seines Zimmers in der Ecke hinterm Schreibtisch zu einer entzückenden Abraumhalde zusammen. Ein paar liegen gebliebene Teile kickt er hinterher, um sich schon mal warm zu schießen. Bleibt man an der Tür stehen, sieht es tatsächlich so aus, als hätte er aufgeräumt. Picobello. Ich entscheide mich, an der Tür stehen zu bleiben.

Sekunden später hat Nicolas Turnschuhe an und steht vor mir. Ohne in den Knien zu wippen und mit den Schultern zu schwingen. «Krass», sagt er, «heute lass ich dich auch mal ein Tor schießen.» Dazu trommelt er sich mit den Fingern auf den Bauch und quietscht vor Vergnügen.

Wege zum Ruhm

Handwerklich-technisch gesehen bin ich für meine Familie natürlich eine glatte Enttäuschung. Nehmen wir mal unseren Video-Recorder. Es soll Menschen geben, die in der Lage sind, ein solches Gerät mittels Kabel sinnreich an einen Fernseher anzuschließen. Ich gehöre nicht zu ihnen. Ich bin Literaturkritiker. Ich las die Bedienungsanleitung, war über Stil, Handlung und Hauptfiguren entsetzt und ließ einen Elektrotechniker kommen.

«Null Problemo», meinte der, «das Kabel hier rein und hier. Dann die eine Fernbedienung hier, hier und hier drücken und dann die andere hier und hier drücken. Kinderspiel.»

«Klar», sagte ich, «hier und hier. Kinderspiel.»

Am Abend versammelte ich meine Familie um mich, um sie an meinem ersten selbstaufgezeichneten Videofilm teilhaben zu lassen. «Ist ganz leicht», demonstrierte ich meine neue technologische Kompetenz: «Hier und hier drücken, und hier und hier, äh, und hier natürlich. Alles klar?»

Auf der Mattscheibe tiefes, abgründiges Dunkel.

«Oder war das jetzt hier und hier?»

Die Mattscheibe blieb bleiern schwarz.

«Also, im Prinzip ein Kinderspiel, die Fernbedienung steuert den Recorder, man drückt Knöpfe und die Sache läuft. Annette, kannst du das mal machen?»

Annettes Gesicht zeigte einen zarten Anflug hektischer Röte. Sie warf sich ihre Jacke über: «Kurz nach zehn kommt der Film mit George Clooney und ich muss jetzt weg. Ich bin mir sicher», sagte Annette, «ganz sicher», sagte sie und schaute mir dazu mit leicht vorgeschobener Stirn präzise in die Augen, «es gelingt dir, ihn aufzunehmen. Ich sehe alle Filme mit George.» Danach schloss sie ohrenbetäubend leise die Haustür.

«Papa», jammerte Lennart, «ist er jetzt für immer kaputt?» und streichelte den leblosen Bildschirm.

«Wir können ihn ja im Garten begraben», überlegte Marten.

«Wenn das Teil hin ist», knurrte Nicolas, «zieh ich aus.»

In lieblich perlenden Satzperioden unterbreitete ich den Kindern meine Ansichten zu ihrem Medienkonsum und bot ihnen an, für sie einen Vortrag über die verwahrloste Kultur der Gegenwart unter besonderer Berücksichtigung George Clooneys zu extemporieren. Sie zogen es vor, ohne Abendbrot ins Bett zu gehen.

Wäre doch gelacht, dachte ich, und schnappte mir noch einmal die Bedienungsanleitung. Eine Stunde und zwei Glas Wein später zeigte der Bildschirm unversehens Leben. Er wechselte von schwarz auf verschneit. Eine weitere Stunde und ein weiteres Glas später gab es wieder bemerkenswerte Reaktionen: Der Schnee wurde allmählich heller, dann wieder dunkler. Schließlich wirkte er wie grauer Gries und gelegentlich verdickte sich der Gries an einigen Stellen der Mattscheibe, fast so, als wollten sich gleich, im nächsten Moment, erste schemenhafte Figuren aus dem Nebel schälen. Dann aber schälten sie sich doch nicht.

Als ich kurz vor Mitternacht endgültig alles ausschaltete, legte sich Stille über das Haus. Ich starrte den renitenten Recorder an, bis sich das schwarze Gehäuse um den Kassetten-Schacht zu bewegen schien wie ein Paar schwarze, wulstige Lippen.

«Sie sieht alle Filme mit George», schnarrte der Recorder.

«Na und?», gab ich patzig zurück.

Er lächelte hämisch: «Clooney sieht blendend aus, ist Schauspieler und weltberühmt.»

«Na und?», meinte ich, «ich sehe auch blendend aus, bin Kritiker und wäre mindestens so weltberühmt, wenn ich mehr Zeit zum Schreiben hätte und nicht immer Recorder programmieren müsste.»

«Wollen mal hoffen», meinte er und sein Grinsen wurde immer gemeiner, «dass sie das genauso sieht, wenn ich ihr morgen die Kassette vor die Füße spucke und es ist kein einziges Bild drauf vom schönen George.»

Wir schwiegen und starrten. Dann hörte ich Annettes Schlüssel in der Haustür. Als sie mich vor dem Recorder sitzen sah, legte sie mir ihre kühle Hand auf die Schulter: «Okay, okay», seufzte sie, «aber ich finde es gut, dass du es wenigstens versucht hast. Schau ich mir den Film halt bei einer Freundin an, die zeichnen den eh alle auf.»

Ich schaute hoch zu ihr: «Aber, wenn wir den Recorder also gar nicht mehr brauchen, meinst du, ich könnte ihn im Garten vergraben, da drüben bei den Tulpen?»

«Prima Idee», sagte Annette sanft, «das machen wir. Gleich morgen.»

Und als wir zusammen die Treppe nach oben gingen, sagte ich noch: «Überhaupt schauen die Kinder viel zu viel Fernsehen, finde ich. Wir sollten ihnen das verbieten. Ich könnte ihnen stattdessen abends ein paar von meinen Kritiken vorlesen.»

«Prima Idee», sagte Annette sanft, «das machen wir. Gleich morgen.»

VIDEO IN PACE

Vor den Vätern zappen die Söhne

Kulturell gesehen sind Kinder eine Katastrophe. Es beginnt schleichend. Kino- oder Konzertbesuche fallen flach, weil man keinen Babysitter kriegt, der neueste Handke bleibt liegen, weil man stattdessen herzige Bilderbücher vorliest (vorliest!) und für lange Opern- oder Theaterabende ist man zu müde. Viel zu müde. Irgendwann ist es dann soweit und man erwischt sich dabei, wie man verkochte Karottenreste von einem Pumuckl-Teller löffelt, während aus dem Recorder ein singender Elefant namens Benjamin Blümchen dröhnt.

Wer Kinder kriegt, betritt eine andere Welt. Er findet sich auf einem Planeten wieder, auf dem es so fabelhafte Phänomene gibt wie Wickelkommoden, Tele-Tubbies, Bäuerchen oder Nutella auf den Sofakissen. Ist man erst mal auf diesem fremden Gestirn gelandet, kann man sich kaum noch vorstellen, dass es Menschen gibt, die nicht wissen, was ein Super-Soaker ist. Oder die Bro'Sis nicht kennen. Nicolas weiß alles über Bro'Sis. Und da Eltern zumindest gelegentlich mit ihren Kindern reden möchten, Nicolas aber seit Monaten ausschließlich über Bro'Sis redet, haben sich zwangsläufig gewisse Bro'Sis-Kenntnisse bei mir abgelagert: Vier junge Herren, zwei junge Damen, öffentlich gecastet, singen leidlich und treten für meinen Geschmack entschieden zu oft im Fernsehen auf.

«Wen», knurrt Nicolas mit starrem Blick auf den Bildschirm, «solln die sonst im Fernsehen zeign? Dich?»

«Klasse Idee», schwärme ich. «Ich könnte da über Literatur...»

«Bücher?», stöhnt Nicolas. «Will eh keiner wissen.»

«Keinen Kulturpessimismus bitte. Das *Literarische Quartett* hatte unglaubliche Einschaltquot ...»

«Papa.»

«...äh...ja?»

«Das wär irre peinlich, wenn du im Fernsehen so über Bücher rumpupsen würdest. Elke Heidenreich, Teil zwei. Voll das Letzte.» Die Vorstellung schüttelt ihn. «Würd mich nich mehr in die Schule traun.»

«Mach dir keine Hoffnungen. Die Chancen, dass du dich vor der Schule drücken kannst, weil mich das Fernsehen entdeckt, sind äußerst gering. Was hast du gegen Elke Heidenreich? Sie ist ein Star. Du magst doch Stars.»

«Stars?» Nicolas schweigt, sein umflorter Blick ruht für einen Moment auf meinem Gesicht. «Giovanni hat sich von Vanessa getrennt.» Die Wurzel seines Weltschmerzes liegt bloß.

«Vanessa von den No Angels?»

«Mmh!» In Nicolas' Augen glimmt so etwas wie zögerndes Interesse an unserm Gespräch auf.

«Na ja», versuche ich zu trösten, «Reich-Ranicki und Sigrid Löffler haben sich damals auch ...» Kein Licht mehr in Nicolas' Augen, dafür stellt er den Fernseher lauter.

Meine Hoffnung ist natürlich, dass sich bei Nicolas Kenntnisse jenseits gecasteter Pop-Gruppen ansammeln, wenn ich oft genug Non-Bro'Sis-Themen anspreche. Ich knöpfe ihm die Fernbedienung ab, stelle den Fernseher leise. «Wollen wir mal über was anderes reden als über Bro'Sis? Nur mal so als Experiment.»

«Über wasn? Wann warst denn du zuletzt mal im Kino? Oder in einem Konzert?»

«Äh ja, gut, das ist richtig», gebe ich zu. «Weißt du, wenn man Kinder kriegt, ist es, als würde man auf einem fremden Planeten landen, man liest Bilderbücher vor, hängt vorm Fernseher rum und versucht mit seinen Kindern zu reden und irgendwann ist es dann soweit und man erwischt sich, wie einem Benjamin Blümchen ins Ohr blökt und man von einem Pumuckl-Teller...»

«Mmh?», fragt Nicolas und verzieht angeekelt das Gesicht. «Fremder Planet? Bilderbücher? Pumuckl? Also Papa», meint Nicolas, «sind das Themen fürn Zwölfjährigen?» Und stellt den Fernseher lauter.

Kinder in den Zeiten der Comics

Neuerdings schaut Lennart im Fernsehen besonders gern amerikanische Comic-Serien in türkischer Synchronisation. Wir nehmen an, er betrachtet das als seinen Beitrag zur Völkerverständigung. Mir ist es, offen gestanden, sehr recht. Nicht nur, weil wir damit Eindruck schinden können bei seinen Kindergärtnerinnen, die heftige Verfechterinnen der multikulturellen Gesellschaft sind. Bei denen kämen wir zur Not auch so durch, schließlich wird Lennart jetzt jeden Morgen von Marek, unserem polnischen Au-pair-Jungen, zum Kindergarten gebracht, zusammen mit den Nachbarskindern Simone und Deniz. Simone ist aus Paris, Deniz aus Izmir. Das sollte reichen.

Nein, der Vorzug türkisch synchronisierter Comics ist in meinen Augen, dass ich sie nicht verstehe. Marten und Nicolas waren in Lennarts Alter leidenschaftliche Anhänger von *Dragon Ball 2*, einer japanischen Manga-Serie, die zu meinem Bedauern in einer Synchronisation ausgestrahlt wurde, die man mit einigem guten Willen als Deutsch bezeichnen konnte. Großäugige Kämpfer in Strumpfhosen machten kilometerweite Sprünge durch Wüstenlandschaften und gaben dabei seltsame Laute von sich:

«Wuoo! Zamp.»

«Trunks hat erzählt, dass ich in seiner Zukunft ein Super-Saiyajin gewesen sei, den jedoch Cyborgs töteten.»

«Keine Sorge, seine Zukunft ist nicht die unsere.»

«In echt jetzt?»

«Brzzz. Hyaah! Gadusch. Wampp.»

Offen gesagt, ich habe nicht jede Episode bis ins Detail studiert. Dennoch hat sich bei mir der Eindruck verfestigt, wir hätten kulturell wenig versäumt, wären sie als japanische Originalversion ausgestrahlt worden oder in türkischer Übersetzung. Im Gegenteil, als Nicolas morgens beim Frühstück aufschrie: «Cells Vollendung muss gestoppt werden. Gaduschhhh!» und sein Brötchen erstach, Marten daraufhin röchelte: «Hör auf, Vegeta, keine Neo-Kiku-Kanone mehr!» und von seinem Stuhl sank, entschloss ich mich – Multikultur hin, politische Korrektheit her – zu einer eher traditionellen pädagogischen Maßnahme.

Mein *Dragon-Ball*-Verbot mache ihn, gab Nicolas mit Zittern in der Stimme zu bedenken, bei seinen Mitschülern zu einem belächelten Außenseiter. Ich könne, entgegnete ich feinsinnig, die Maßstäbe meiner Erziehung doch nicht abhängig machen von den bedenkenlosesten Eltern seiner Klasse. Obwohl Nicolas meiner Argumentation sehr entschieden nicht folgte, hielt ich mein Verbot fast zwei Tage lang durch.

Wie vergleichsweise angenehm sind da türkische Comics. Kürzlich allerdings hörte ich, wie Lennart noch ein wenig ungelenk, aber schon sehr kämpferisch murmelte: «Nereye gidiyorsun?» Ich habe mir vorsichtshalber schon mal das Wort «Fernsehverbot» ins Türkische übersetzen lassen.

Die Geburt des Schmerzes aus dem Geist der Wiederholung

Unsere Kinder lieben Wiederholungen. In diesem Punkt erinnern sie mich an Politiker. Nicolas zum Beispiel ist ohne schwarzes Nike-T-Shirt so wenig vorstellbar wie Genscher ohne gelben Pullover. Genscher allerdings besitzt, nehme ich an, gelbe Pullover und Pullunder fuderweise, Nicolas dagegen nur ein schwarzes Nike-T-Shirt. Wir klauen es, wenn er sich doch mal duscht, und tun es in die Waschmaschine. Er bleibt dann im Bad, bis wir es ihm trocken wieder reinreichen.

Oder Lennart: Manchmal sagt er an einem Morgen häufiger hintereinander «Ich will nicht in den Kindergarten, ich will nicht in den Kindergarten, ich will nicht in den Kindergarten», als Norbert Blüm in seinem ganzen Ministerleben «Die Renten sind sicher» gesagt hat. Lennart lernt so schon früh, wie selten Wünsche oder Versprechungen in Erfüllung gehen, egal wie oft sie wiederholt werden. Gute Lehre fürs Leben.

Und Marten spielt, seit wir das Klavier bekommen haben, «Heho! Spannt den Wagen an, seht, der Wind treibt Regen übers Land». Er spielt es täglich fünf Mal, fünfzig Mal, fünftausend Mal. Er spielt es mal leise, mal laut und mal wie Kurt Cobain. Er spielt es und spielt es und spielt es. Manchmal das ganze Lied in vier Sekunden. Er spielt es, bis es sich in die Ohren bohrt, bis es im Hirn rotiert, bis es durch Ganglien und Synapsen schleudert wie eine Flipperkugel und von innen an die Stirn klatscht: «Heho!

Spannt die Nerven an, seht, das Kind treibt Eltern übern Rand!»

Zwanzig Jahre lang hatte ich keine Zahnschmerzen. Seit Marten *Heho!* spielt, wühlt der Schmerz in meinem Kiefer. Mein Zahnarzt hat einen Heil- und Kostenplan geschickt, der selbst die Krankenkasse erblassen ließ. Das wäre mal eine fruchtbare Debatte zur Rettung unserer Sozialsysteme: Der geheime Zusammenhang zwischen der Kostenexplosion im Gesundheitswesen und Klavierunterricht für Kinder. Aber für so was sind unsere Politiker natürlich blind.

Woher haben die Kinder das? Woher diese Wiederholungslust? Nicht von ihren Eltern. Annette und ich beschäftigen uns äußerst abwechslungsreich: Wir klauen Nike-Shirts von Nicolas, zerren Lennart zum Kindergarten, schreien rum mit den Sachbearbeitern unserer Krankenkasse.

Nur die wirklich schönen Dinge, die machen die Kinder nur ein einziges Mal. Vor ein paar Wochen lag der Mond abends vor unserm Haus in den Bäumen. Er war ganz voll und orange wie ein Teller Kürbissuppe. Lediglich oben links hatte sich ein romantisches Wölkchen an ihm verfangen. Marten blickte kurz auf vom Klavier, wo er gerade *Heho!* hämmerte, schaute durchs Fenster und fragte: «Mama, wo schläft denn der Mond?»

Ja, da schmelzen Elternherzen. Aber er hat es nie wieder gesagt, egal wie oft ich ihn drum bat. Stundenlang habe ich auf ihn eingeredet, bis er die Hände auf die Ohren presste und stöhnte, er hielte es einfach nicht mehr aus.

Heho!!!

Dein Kind, das unbekannte Wesen

Glücklicherweise machen die Kinder immer wieder Sachen, die ich absolut überhaupt nicht verstehe. Der Fimmel mit den Schlüsselbändern zum Beispiel. Das erste Band samt Backstage-Ausweis entdeckte ich vor Jahren im Fernsehen am Hals eines Reporters, der betrunkenen Rockstars irrsinnig interessante Fragen stellte: «Hey Peter, wie war dein Konzert in Prag?» – «Wow Mann, toll Mann, ich liebe das Publikum in Polen.» Wenig später baumelten haargenau die gleichen Bänder und Ausweise vor der Brust von MTV-Moderatoren, obwohl sie jeder im Studio kannte und es vor laufender Kamera selten zu Ausweiskontrollen kommt. Dann entdeckte ich plötzlich knallbunte Bänder mal mit, mal ohne Ausweis am Hals von Sportlern, Schauspielern, parteitagenden Politikern, staatstragenden Podiumsdiskutanten und Roberto Blanco.

Inzwischen hat bestimmt jeder Radiosprecher so ein Ding um, was mich beim Radiohören vergleichsweise wenig stört. Mehr stört mich, dass Nicolas auch eins hat. Er nennt es seinen Lenyard, meint damit nicht seinen jüngsten Bruder und hängt neuerdings seinen Schlüssel dran. Was das Fundament zu einem fabelhaften neuen Familienritual legte: Nicolas klingelt, ich springe vom Schreibtisch auf, haste zur Tür, öffne, sehe meinen Ältesten, deute schweigend auf den Schlüssel, der vor seinem Nabel pendelt, werfe die Tür wieder zu, kehre mit einem fröhlichen Fluch auf den Lippen zum Schreibtisch zurück und höre von dort, wie Nicolas murrend und mühsam aufschließt.

Ein Rätsel ist mir erfreulicherweise auch, weshalb er seinen Schulrucksack derart tief unten am Rücken trägt, dass er ihm in die Kniekehlen schlackert. Oder wie er und Marek es immer wieder schaffen, den Fußball über den Zaun in Schmitt-Lehmanns Garten zu schießen, aus dem ich ihn regelmäßig erst nach längeren diplomatischen Unterhandlungen wieder befreien kann. Oder was ihn auf die Idee bringt, es sei cool, Cornflakes pur ohne Milch zu essen.

Vollkommen schleierhaft bleibt mir Gott sei Dank auch, warum Marten mindestens zwanzig Minuten vor Schulbeginn vor der geschlossenen Klassentür stehen will, selbst wenn die ganze Familie deshalb früher aufstehen muss. Oder wie er es schafft, regelmäßig mehr Zahnpasta im Badezimmer und auf seinem Schlafanzug zu verteilen als auf seiner Zahnbürste. Oder weshalb er selbst im Hochsommer darauf besteht, im Bett Socken zu tragen.

Selbst Lennart zeigt schon mit zarten sechs Jahren Züge wohltuend unentschlüsselbaren Verhaltens: Warum reißt er wöchentlich die Gardinen aus den Halterungen? Weshalb ist er nie auf den Fotos seiner Kindergarten-Gruppe zu entdecken? Wieso hat er, Sekunden nachdem ich ihn gewaschen habe, schon wieder klebrige Hände?

Die Generation unserer Kinder wird in einer Welt überleben müssen, die wir Eltern uns nicht vorstellen können – und brauchen. Nur gut, wenn sie schon in jungen Jahren geheimnisvolle, unauslotbare Fähigkeiten entwickeln, Fähigkeiten, mit denen sie künftigen, bislang noch ungeahnten Herausforderungen gewachsen sein werden im Umgang mit Schlüsselbändern etwa, mit Zahnpasta oder allgegenwärtigem fotografischen Dauerbeschuss. Es hat überhaupt keinen Sinn zu fragen, weshalb sie heute Gardinen abreißen oder im Bett Socken tragen. Froh müssen wir sein! Denn nur so können sie bestehen in den kommenden Krisen, die geprägt sein werden durch so entsetzliche Erscheinungen wie Cornflakes ohne Milch, tiefergelegte Rucksäcke, staatstragende Podiumsdiskussionen und Roberto Blanco.

Auf der Suche nach der verlorenen Zeitung

Seit wir Kinder haben, stehe ich morgens früher auf, um in Ruhe Zeitung zu lesen. Neulich sitze ich kurz nach sechs am Frühstückstisch und vertiefe mich in folgenden erregenden Zweispalter:

RICHTUNG UND WAHRHEIT
Die Wege des Peter Handke

«Meine Wege sind wichtig wie meine Worte», notierte Peter Handke in seinem eminenten Werk «Versuch über den geglückten Ausflug». Folgerichtig legt er jetzt die dreiunddreißigbändige Edition seiner «Sämtlichen Wanderkarten» vor ...

Im Hintergrund rumpelt Nicolas die Treppe runter, wühlt im Küchenschrank, knallt den Toaster auf den Tisch und brummt die etwas sachlich geratene Begrüßungsformel:

«Wossn Toastbrot?»

«Guten Morgen», zwitschere ich honigsüß und deute wie immer auf das Brotfach. Und lese:

... Wanderkarten» vor. Die von allen Handke-Kennern lange ersehnte Ausgabe eröffnet völlig neue Areale der geistigen ...

«Der darf Toast!» Marten steht im Schlafanzug in der Tür. «Ich will auch Toast. Immer nur Nicolas.»

«Du kriegst nichts», bellt Nicolas. «Ich hab den Toaster geholt, mit dem toastest DU nix. Is dis klar?»

Ich schlichte wie Salomo persönlich: Natürlich muss Nicolas seinen Bruder an den Toaster lassen, Marten soll aber vorher wieder rauf, um sich anzuziehen. Ich lese:

… der geistigen Topographie dieses Dichters. Ohne jeden Zweifel: Hier ist ein opus magnum erschienen …

«Tut mir Leid, Liebling, ich bin so fuuuurchtbar in Eile.» Schon halb im Mantel schnappt sich Annette den ersten fertigen Toast und wirft die Haustür hinter sich ins Schloss.

«He, das war meiner», tobt Nicolas. «Ich will meinen Toast. Sofort. Ich hasse euch!»

Marten und Lennart rasen die Treppe runter, reißen die Haustür auf, winken ihrer Mutter nach. Dann trollen sie sich zu uns an den Tisch, Marten rollt sich in T-Shirt und Unterhose auf Annettes Stuhl zusammen und schläft wieder ein.

«Na klar, Marten darf das», mault Nicolas, «Marten darf ja alles, auch halbnackt frühstücken.»

«Darf er nicht.» Ich kitzele Marten, bis er vom Stuhl fällt, schicke ihn mit Lennart zum Anziehen, lese:

… opus magnum erschienen. Die Welt der Handke-Leser wird nie wieder so sein, wie sie einmal …

«Gutt Morgen», Marek trägt Lennart wieder rein und zieht ihm die dreckige Jeans von gestern an: «Marten hat im Bad einschließen.»

Ich erkläre Marek, wo Lennarts saubere Hosen sind. Ich gehe rauf und überrede Marten, wieder aus dem Bad zu kommen. Ich rufe runter, dass Nicolas jetzt los muss zur Schule. Ich erinnere Marek daran, den Müll raus zu bringen. Ich höre, wie Nicolas die Haustür hinter sich zudonnert. Ich bleibe neben Marten stehen, bis er sich angezogen hat. Ich gehe in die Küche und mache Lennarts Kindergartenbrot. Ich verabschiede Marten, der wieder viel zu früh zur Schule geht. Ich räume den Tisch ab. Ich fülle die Spülmaschine. Ich küsse Lennart, der mit Marek zum Kindergarten radelt. Ich starte die Spülmaschine. Ich suche die Zeitung. Ich finde sie nicht. Ich suche weiter. Ich schaue unter dem Esstisch nach, beim Fernseher, im Arbeitszimmer, im Papierkorb. Ich stelle fest, dass Marek die Zeitung zum Müll gebracht hat. Ich renne zur Mülltonne. Ich sehe, dass die Küchenabfälle auf der Zeitung liegen. Ich sehe, dass die Küchenabfälle die Zeitung in einen weichen, glänzenden Brei verwandelt haben. Ich gehe wieder ins Haus. Ich setze mich. Ich schaue aus dem Fenster. Ich schaue lange aus dem Fenster. Es regnet.

Natürlich, ich weiß, das Zusammenleben mit anderen Menschen ist immer und unvermeidlich eine endlose Folge von Kompromissen. Und Single sein ist auch kein Zuckerschlecken. Dennoch möchte ich jedem, der sich mit dem Gedanken an Familiengründung trägt, aus schmerzlicher Erfahrung raten, sich frühzeitig auf eine Zukunft ohne Zweispalter einzurichten.

Wem die Stunde schlägt

Wer drei kleine Söhne hat, weiß, was das Wort Bürgerkrieg bedeutet. Unser Haushalt wird täglich von diversen Feuergefechten erschüttert. Meist entzünden sie sich im Kinderzimmer, weiten sich über Flur und Treppe bis in die Küche aus, bevor dann im Wohnzimmer hinter den beiden Sofas – offenkundig die Möbel mit den höchsten Barrikaden-Qualitäten – die letzten Verletzten verröcheln.

Immer wieder ist es ein erhebender Anblick für mich, wie Annette hoch aufgerichtet und ohne Zaudern durch den Kugelhagel schreitet. Ich habe schon gesehen, wie sie mitten auf dem Schlachtfeld seelenruhig Tee trank, telefonierte oder sich in die Schularbeiten der Kinder vertiefte. Um sie herum tobten Kämpfe, die den elementarsten Regeln der Haager Landkriegsordnung hohnlachten, und sie schrieb die Einkaufsliste für Marek.

Offen gestanden, meine Nerven sind schwächer als ihre. Ich schätze es nicht sehr, vor dem Kühlschrank in plötzliches Kreuzfeuer zu geraten oder den Salat zwischen Granatexplosionen und Gewehrsalven zu waschen. Vor ein paar Monaten startete ich sogar ein wenig leichtfertig den Versuch, alle Spielzeugwaffen aus der Familie zu verbannen: Als sich unsere häusliche Soldateska vorübergehend doch einmal still beschäftigte – vermutlich mit dem Ausheben von Schützengräben –, sammelte ich alles ein, was zu neuerlichen Massakern hätte dienen können und versenkte den Hort im nahe gelegenen Fluss.

Das Wehklagen hatte biblische Dimensionen. Stunden um Stunden schlichen die drei durchs Haus mit leerem Blick und leeren Holstern. Herzzerreißende Szenen spielten sich ab, zitternd, zuckend, zagend lagen sie sich in den Armen, das Leben erschien ihnen mit einem Mal ganz sinnlos. Bis beim Abendbrot ein unerwartetes Leuchten über Lennarts Gesicht zog: Mit gezielten Bissen verwandelte er eine zuvor vollkommen friedfertige Scheibe Toastbrot in ein L-förmiges Etwas, schloss seine Faust um das kürzere Ende, zielte und nahm seine Brüder unter Feuer. Die bewaffneten sich ebenso und stürzten glücklich ballernd und bröselnd hinter die Sofas.

Später dann, als mir Annette Gelegenheit gab, mich mit dem Staubsauger auf die weit verstreuten Spuren meiner Abrüstungspolitik zu machen, fühlte ich mich endgültig den Friedenspredigern sämtlicher Epochen verwandt: Hatten sie nicht alle, von Jesus bis Buddha, von Stresemann bis Gandhi, der großen Vergeblichkeit der Geschichte und dem kaltherzigen Unverständnis ihrer Mitmenschen trotzen müssen?

«Im Garten könnt ihr machen was ihr wollt», erklärte ich den Kombattanten beim Zubettbringen und legte dann Pathos in die Stimme. «Aber im Haus sind wir eine pazifistische Familie.»

«Wasn das?», fragte Marten misstrauisch.

«Bestimmt will er uns wieder was verbieten», maulte Lennart.

Ich schwärmte den dreien vor von Kants *Ewigem Frieden* und Bertha von Suttner, von Henri Dunant und dem Roten Kreuz. Es wurde eine lange, eine verzückte Rede, und als ich fertig war, rangen die drei mühevoll um Worte. Ich zauberte derweil das beseelteste, das entrückteste Lächeln auf meine Lippen, dessen ich fähig bin.

«Mein Gott, Papa wird Fernsehprediger, ist das peinlich», stöhnte Nicolas. Die beiden anderen verdrehten die Augen und zeigten eine Choreographie fein aufeinander abgestimmter Ohnmachtsanfälle.

«Wenn das unsere Freunde rauskriegen», brummte Marten. «Wir können uns nicht mehr sehen lassen. Grauenvoll.»

«Warum?», fragte ich munter. «Im Garten werde ich ein Schild aufstellen: *Hier wohnt eine pazifistische Familie*. Und an die Tür kommt der Aufkleber: *Gewaltfreie Zone*.»

Die Stille war lang und lastend. Flackernd richteten sich drei Augenpaare auf mich, wachsende Verzweiflung im Blick. Ich schaute zurück voller Unschuld.

«Okay», zischte Nicolas, ihr Verhandlungsführer, durch die Zähne: «Keine Schilder, dafür Waffenstillstand im Haus.»

Kein schlechter Deal, ich schlug ein. Ich weiß nicht, was Gandhi, Kant, Buddha und die anderen davon halten würden. Aber aus meiner Sicht ist Pazifismus eine 1A-Drohkulisse.

Herr der Ringe

Lennart hat fürs Fernsehen ein Interview gegeben. Sein Kindergarten wird umgebaut, und die Kinder sind einfach für ein paar Monate ins Altenheim umgezogen, wo Räume leer standen. Da wollten die fixen Fernsehleute natürlich wissen, wie das so funktioniert mit dem *clash of generations*, dem Zusammenleben von Jung und Alt. Also rauschten sie an, holten Jenny und Lennart vor die Kamera und fragten, wie ihnen die alten Leutchen denn so gefielen. Jenny lächelte feengleich mit kugelrunden Augen: «Sehr gut, die sind unheimlich lieb.»

Dann kam Lennart ins Bild, schwieg lange, zerfurchte die Stirn, knabberte ein bisschen an seinem T-Shirt, bevor er dann zögernd: «Doch, ja», brummte und: «Gibt jetzt mehr Süßigkeiten.»

Wir haben uns das Video der Sendung zu Hause nur ein paar Dutzend Mal angeschaut, lediglich die Großmütter, Tanten, Paten, Nachbarn dazu eingeladen und auch sonst keinen großen Wirbel darum gemacht, damit Lennart sein früher Ruhm nicht zu Kopfe steigt. Der erste Satz eines Fernsehinterviews ist immer der wichtigste, habe ich ihm für die Zukunft eingeschärft: «Den können sie nicht schneiden!» Mit seinem *First Sony*-Recorder haben wir dann noch ein paar lockere Statements zu Waldorfpädagogik, Ganztagsschule und PISA-Studie eingeübt. Aber alles in allem bin ich nicht sicher, ob es klug ist, Lennart zum Experten für erziehungspolitische Fragen aufzubauen. Die Honorare auf diesem Gebiet sind total mau. Seine ad-hoc-Analyse: «Gibt jetzt mehr Süßigkeiten» brachte tatsächlich keinen Cent.

Vielleicht sollte Lennart mehr auf *Deutschland sucht den Superstar* setzen. Nicht unbedingt als Sänger, da ist die Konkurrenz ja ziemlich hart, und Lennart lernt ungern Liedtexte: «Was? Drei Strophen! Bin ich Einstein?»

Aber warum nicht als Moderator? Lennart verfügt als Sechsjähriger über die gleichen Qualitäten wie Carsten Spengemann: Er weiß, wo bei einem Mikrophon oben ist, stammt möglicherweise doch nicht von Hans Albers ab und füllt den Bildschirm ganz und gar aus, wenn die Kamera nah genug ran geht. Und er kann hervorragend Ringe verschwinden lassen. Wir habens geübt, mit dem Zauberkasten. War kein Problem.

Hohn und Gedächtnis

Ja gut, ich gebe es zu, manchmal, wenns hektisch wird, verwechsle ich die Namen der Kinder: Lennart stellt in unserm Wildkirschbaum Kletterrekorde auf, die Reinhold Messner erblassen ließen, und ich flehe von unten: «Nicolas, bitte, komm runter.» Lennart winkt dann, ruft «Ich heiße Lennart» und hievt sich noch zwei dürre Ästchen höher. Oder Marten hämmert am Klavier *Heho!* runter, dass Motörhead dagegen klingt wie Kammermusik und ich brülle «Lennart, langsamer», worauf Lennart im Flur auf der Treppe zusammenzuckt und in Zeitlupe weiter nach oben steigt. Oder Nicolas knallt mir wieder mal mitten in einem erzieherischen Vortrag die Zimmertür vor der Nase zu, ich reiße sie sofort wieder auf, fixiere ihn stahlhart und beginne die Strafpredigt mit den schönen Worten: «LeMartOlas ... Äh.»

«Lemartolas?» fragt Annette. «Haben wir noch ein Kind, von dem ich nichts weiß?»

Sicher, Verwechslungen sind lästig, aber offen gestanden, ich finde solche kleinen Fehler nicht so schlimm. Eher liebenswert. Überhaupt, ich finde meine Fehler nie besonders schlimm, immer sind es die anderen, die sich drüber aufregen. Niemand kann alles im Kopf haben, jeder vergisst mal was. Sogar Annette. Sie vergisst zum Beispiel sehr oft, dass ich Literaturkritiker bin und sehr beschäftigt und sausensibel und mich in Gedanken immer mit irgendwelchen bedeutenden kulturellen Fragen rumschlage: «Was schreibt Handke gerade? Wie gehts Suhrkamp? Wann sollte ich noch gleich die nächste Rezension abliefern?»

Bei Problemen solchen Kalibers wird man doch wohl mal Namen verwechseln dürfen. Neulich Abend zum Beispiel, nachdem ich den Kindern vorm Einschlafen wieder aus *Huckleberry Finn* vorgelesen hatte, war ich mental noch ganz bei Mark Twain, als ich Lennart zudeckte, seine Stirn küsste und flüsterte: «Schlaf gut, Marten.»

Er lächelte: «Mein Name ist Lennart.»

«Weiß ich doch», sagte ich.

Marten hatte sich schon in seinem Bett zusammengerollt, setzte sich aber noch mal auf und schüttelte mir sehr förmlich die Hand: «Guten Abend, mein Name ist Marten.»

«Weiß ich doch», sagte ich.

Nicolas schrie aus seinem Zimmer: «Mein Name ist Peter Handke.»

«Weiß ich doch», sagte ich.

Letztes Wochenende dann, beim Einkaufen, trafen wir zufällig auf das *Gedächtnis-Mobil* der Stadt: Ein Bus, bemalt mit hypnotischen Augen, umschwärmt von freundlichen Leuten, die eifrig Flugblätter verteilten, dazu Broschüren oder bunte Aufkleber mit hypnotischen Augen und der anmutigen Aufschrift: «Keine Angst vor Alzheimer». Annette war sofort begeistert.

«Das Gedächtnis kann man nämlich trainieren», sagte sie. «Es gibt da Kurse. Wäre doch gut, damit du die Kinder nicht mehr verwechselst.»

«Ich kann mich nicht erinnern», protestierte ich panisch, «jemals Kinder verwechselt zu haben. Höchstens Namen.»

Annette schnappte sich den nächsten besten Gedächtnis-Mobilisten: «Hilft Gedächtnistraining auch gegen Verwechslungen?»

«Möglich», nuschelte der Mann, «ich weiß nicht. Ich bin vom ‹Arbeitskreis Demenz›. Für Gedächtnistraining ist das ‹Zentrum für Zerstreutheit› zuständig. Glaub ich.»

«Es geht», präzisierte Annette, «um das Verwechseln von Namen.»

«Na ja», meinte der Mann, «kommt vor. Ich verwechsle öfter mal die Namen meiner Kinder.» Der Mann war wirklich ungemein sympathisch. «Ich finde das ja nicht so schlimm, aber meine Frau ...» Der Mann schaute sich kurz um und schwitzte.

Annette blickte streng: «Ihre Kinder? Wie viele haben Sie denn?»

«Eins, warum?» Er schwitzte stärker, sein Blick flackerte. «Glauben Sie etwa, ich wüsste nicht, wie viele Kinder ich habe?»

«Wie können Sie denn», schüttelte Annette den Kopf, «Namen vertauschen, bei nur einem Kind?»

«Nein», stieß der Mann hervor, «es sind zwei! Oder drei? Weiß nicht, keine Ahnung. Kann man ja mal vergessen.» Er begann zu zittern, stöhnte und lehnte sich mit dem Rücken an den Bus, die hypnotischen Augen starrten rechts und links über seinen Schultern. «Sagen Sie es nicht meiner Frau. Bitte.»

Ein Kollege nahm ihn behutsam am Arm, führte ihn zu einem Stuhl und wandte sich uns zu: «Unser Walter», lächelte er. «Der fühlt sich heute nicht so. Kann ich was für Sie tun?»

«Franz», kreischte der Mann aus dem Hintergrund und bäumte sich vom Stuhl hoch, «ich heiße Franz, das weiß ich genau! Ich bin nicht Walter, du verwechselst mich.»

Annette zog mich am Ärmel weg von den beiden: «Was für ein schräger Laden», brummte sie, «vergiss ihn.»

«Mach ich», sagte ich, «klar doch.»

Tod eines Toasters

Kinder denken an irgendetwas anderes. Unsere jedenfalls. Ich habe nur noch nicht herausgefunden, an was. Nehmen wir zum Beispiel das Thema Essen. Wenn Lennart um ein Uhr aus dem Kindergarten kommt und Annette ihn fragt, was er dort um zwölf zu Mittag gegessen hat, grübelt er eine halbe Ewigkeit und sagt dann: «Weiß nich, is lange her.»

Neulich habe ich einen Test gemacht. Ich schnitt ein großes Stück Pappe zurecht und platzierte es neben dem Esstisch. Nachdem Nicolas, ohne dabei übermäßig zu spritzen, die Hälfte seiner Mahlzeit vom Teller in seinen Magen geräumt hatte, hielt ich ihm die Pappe blitzartig so dicht vor die Nase, dass er weder seinen noch unsere Teller sehen konnte. Dazu flötete ich wie Günter Jauch: «Nun die 5-Euro-Frage: Was essen wir gerade?»

«Mensch Alta, dis is einfach», antwortete er, «also, ja, äh: Nudeln und so was Braunes». Er schob die Pappe zur Seite.

Unheilverkündende Leere trat in Annettes Gesicht, die eine Menge Mühe in Pommes gratin, Broccoli und Gulasch investiert hatte: «Braunes? Was heißt hier Braunes? Und wieso eigentlich Nudeln?»

Übergangslos brach ich in Hymnen aus auf die sublim gedünsteten Broccoli, auf Pommes gratin in paradiesischer Perfektion und das «absolut, tatsächlich ab(!)-so(!!)-lut(!!!) göttliche(!!!!) Gulasch».

«Gulasch?» empörte sich Marten mit vollen Backen,

große Brocken Gulasch kauend: «Wo gibt's Gulasch? Ich mag Gulasch. Ich will auch Gulasch!»

Andere Dinge aber vergessen die Kinder nicht gleich, noch während sie sie tun. Lennart zum Beispiel darf täglich dreißig Minuten fernsehen und irgendwann letzten Sommer musste er mal auf fünf davon verzichten. Seither hängt er sie jeden Tag an die erlaubten dreißig dran. Nicolas kann Rap-Texte schon nach einmaligem Hören auswendig – selbst die im Slang schwer bewaffneter Detroiter Slumbewohner. Gerade die. Aber wenn ich ihn unregelmäßige englische Verben abhöre: Fehlanzeige. Marten wiederum braucht in seinen spaßigen *Hallo-Kinder!-Technik-ist-ganz-einfach*-Büchern nur einen auseinander geschraubten Toaster zu entdecken und schon ist er ein Virtuose in der Kunst des Auseinanderschraubens von Toastern. Spaßige Kinderbücher über das Zusammenschrauben von Toastern gibt es nicht.

«Sag mal Marten», fragte ich ihn, nachdem ich zwei, drei Stunden lang vergeblich meine technischen Fertigkeiten an den Trümmern des Gerätes versucht hatte, «sag mal, was hast du dir eigentlich dabei gedacht? Woran denkst du, wenn du lebendige Toaster in tote Teile zerlegst?»

Erst schaute er mich verunsichert an, dann wandert sein Blick Hilfe suchend zu Nicolas.

«Macht ja nichts», beruhigte ich ihn ein wenig leichtfertig, «das krieg ich schon wieder hin. Ich will ja nur mal wissen, was da in deinem Kopf vorgeht.»

Er schaute mit weit offenen Augen zu mir auf und sagte: «Wollte sehen, ob unser Toaster innen genauso is, wie der im Buch. Und ich hab gedacht, der Papa, der kriegt den bestimmt wieder zusammen. Papa kriegt alles wieder zusammen.»

Ich konzentrierte mich ganz auf seine Augen, fixierte sie lange, aber er lächelte nicht. Es zuckte kein Muskelchen in seinem offenen, hellen Kindergesicht, und beinahe hätte ich ihm geglaubt. Wenn ich nicht gerade noch im spiegelnden Chromgehäuse des Toasters gesehen hätte, wie Nicolas hinter meinem Rücken grinste und zwinkerte und Marten mit aufgerichtetem Daumen beglückwünschte.

Jenseits von Wurst und Käse

Die übersichtlichste Form der Kommunikation ist die Befehlskette. Der eine sagt was, der andere macht's. Vorzüglich funktioniert das bei Soldaten, seltsamerweise nicht bei Sechsjährigen. Erst recht nicht im Zoo.

«Lennart, bleib an der Hand!»

«Warum?»

«Neiiin, nicht streicheln!»

«Warum?»

Okay, Familienausflüge sind keine Stoßtruppunternehmen, Eltern sollen nicht kommandieren, sondern gaaanz viel mit den Kindern reden und, schon klar, Väter müssen sich wirklich nicht immer so alphatiermäßig aufblasen. Aber schön wär's schon, wenn Kinder ab und zu mal täten, was man ihnen sagt, zumal wenn sie gerade direkt vorm Alligatorbecken stehen.

Woher diese Leidenschaft der Kinder zur innerfamiliären Debatte? Woher ihre bohrenden Zweifel an jeder simplen elterlichen Aufforderung?

«Marten, räum bitte den Tisch ab.»

«Warum ich?»

«Weil ich, dein alter, gramgebeugter Vater, ihn gerade nach hartem Arbeitstag im Schweiße meines Angesichts gedeckt habe.»

«Warum muss Nicolas nichts tun? Was bedeutet ‹gramgebeugt›? Du bist doch gar nicht alt. Was war denn so hart an deiner Arbeit, du liest doch nur den ganzen Tag? Und warum ‹Angesicht›? Heißt es nicht ‹Gesicht›?»

Natürlich weiß Marten das alles genau: Dass Nicolas gestern abgeräumt hat, also heute nicht dran ist. Was ‹gramgebeugt› bedeutet. Dass ich selbstredend blutjung bin und die Formulierung ‹alter Vater› allein der rhetorischen Emphase dient. Dass es bei manchen biblischen Wendungen nun mal Angesicht heißt. Und dass Lesen mitunter ganz schön müde machen kann. Außerdem aber weiß er noch, dass es leichter ist, Fragen zu stellen, als abzuräumen. Und dass es mir mehr Mühe macht, seine Fragen und Einsprüche niederzuargumentieren, als selbst abzuräumen. Also redet er und redet, bis ich resigniert Wurst und Käse selbst in den Kühlschrank knalle.

Kinder werden, sagen die Weisen, nicht nur durch ihre Eltern erzogen, sondern ebenso von der sozialen Struktur der Welt, in der sie leben. Wer als Untertan einer zackigen Monarchie aufwächst, nimmt williger Befehle entgegen und fragt weniger als der Sprössling einer diskussionsfreudigen Demokratie. Wenn das stimmt, ist Marten unverkennbar ein Sohn des Reformstaus. Schon mit der Muttermilch hat er aufgesogen, dass man Probleme nicht löst, sondern von Gutachtern begutachten, von Prüfern prüfen, von Beratern beraten lässt, um sie dann in Ausschüsse zu überweisen und dort möglichst umfassend zu vergessen. Vermutlich ist Marten deshalb so wild auf die Tagesschau: Er schaut sich bei den Politikern die jeweils neusten Tricks ab, mit denen sie unter Aufbietung all ihrer rhetorischen Kräfte rein gar nichts tun. Sind sich SchröderMerkelWesterwelleStoiberFischer eigentlich darüber klar, was das für mein Abendessen bedeutet?

«Marten, entweder du räumst sofort ab oder du darfst nicht Tagesschau kucken.»

«Warum?»

Wie ein Sofa im Ozean

Zu den Gravitationszentren unseres Familienlebens gehört ein zweisitziges Sofa. Es ist ein müdes, ergrautes Möbel, hat aber den schwer überbietbaren Vorzug, in unmittelbarer Nähe des Fernsehers zu stehen. Während der wahren Höhepunkte des Wochenendes, also bei *Wer wird Millionär?* oder *Kaya Yanar* oder *Hausmeister Krause* oder *3 nach 9* wirkt seine Schwerkraft auf jeden von uns auf ganz eigentümliche Weise: Annette zum Beispiel wird unter einer Wolldecke liegend an seine Polster gefesselt. Marten rollt sich vor seine Mutter und schläft. Ich darf Annettes Beine auf den Knien balancieren, Lennart hampelt auf meinen Schoß rum und Nicolas hockt auf einer der Lehnen, um pubertäre Distanz zur Familie zu demonstrieren.

Neulich, als *Ice Age* lief, spürte ich, wie sich unser Sofa sacht vom Boden losmachte. Es war ganz dunkel draußen, und da der Fernseher wie ein Trabant mit abhob, merkte außer mir keiner was. «Hauptsache», dachte ich, «es wird nicht so kalt», und zog die Decke von Annettes Beinen fester um Lennart und mich. Wir schwebten sacht aus dem Haus, in der Schwärze der Nacht glitt der noch etwas schwärzere Schatten des großen Holunders im Garten an uns vorüber, wir gewannen an Höhe und bald konnte ich, wenn ich nach unten kuckte, die Lichter des Hauses kaum noch erkennen, dafür funkelte die Stadt immer prächtiger.

«Ey», nörgelte Nicolas, als er während des Werbeblocks schnell mal mit Freunden am Telefon ein paar

Meinungen über den Film austauschen wollte und seine Beine unvermittelt ins Leere baumelten: «Ey, was soll denn der Mist?» Er klammerte sich an die Rückenlehne.

Auch Annette drückte Marten fester an ihren Bauch. «Hättest ja mal was sagen können», brummte sie in meine Richtung, dann zeigte sie nach unten: «Schau mal dort, Lennart, dort ist dein Kindergarten, und da, da hinten beim Wald, da wo's ganz dunkel ist, da wohnt Oma.»

«Na, is ja toll», quengelte Nicolas, «da wohnt Oma, is ja super. Und wie komm ich an mein Handy, bitte?»

«Wie hoch wir wohl sind?», fragte Annette. «Seht mal, selbst von hier oben kann man sehen, dass unser Garten viel gepflegter ist als der von Schmitt-Lehmanns.»

Es war komplett dunkel und ich konnte nicht das Geringste sehen, behielt das aber lieber für mich. Als die Möwe auf der Rückenlehne des Sofas landete, wurde auch Marten wieder munter. Im Lichtschein des Fernsehers konnte ich erkennen, dass sie ganz weiß war mit einem großen gelben, ziemlich bedrohlichen Schnabel. Sie saß da, legte den Kopf seltsam schräg und schaute uns irgendwie skeptisch an, als wären wir ihrer Meinung nach fehl am Platz. Ich legte meinen Kopf auch schräg und bemühte mich, betont skeptisch zurückzuschauen, schließlich war es unser Sofa, auf dem sie hockte, da sollte sie sich mal nichts einbilden. Marten richtete sich behutsam auf, schob seine Hand unter der Decke vor und streichelte die Möwe zart an ihren Brustfedern. Wegen des großen Schnabels hatte ich ein wenig Angst um Marten, aber die beiden schienen sich gut zu verstehen. Sofort wollte natürlich auch Lennart streicheln, wälzte sich auf meinem Schoß zu dem Vogel hin, der ruckte aber plötzlich zur Seite, ließ einen grauen, schmierigen Klecks aufs Sofa klatschen und stürzte sich ins Dunkel zurück.

Mit einem Mal war ein anschwellendes Schwirren und Brausen überall in der Luft, ich sah eine Lichterkette rasend schnell auf uns zu kommen und dann fauchte ein Jumbo an uns vorüber zum gelb blinkenden Flughafen im Süden der Stadt. Lennart gluckste ganz glücklich, hüpfte auf meinen Schoß rum, lachte und winkte: «Hallooo! Ahoi, Schiff ahoi!»

Gut, dass ich ihn festhielt, denn als uns die Luftwirbel der Triebwerke erfassten, geriet das Sofa mächtig ins Schlingern. Annette griff nach den beiden anderen Kindern und warf mir einen strengen Blick zu: «Okay, jetzt bring uns wieder runter.»

«Klar doch», sagte ich, «mach ich, sofort, wer hat die Fernbedienung?» Nervös tastete ich unter der Decke rum, zwischen den Sofapolstern, hinter den Beinen der Kinder und fasste prompt in den matschigen Fleck, den die Möwe hinterlassen hatte: «Wer hat die verdammte Knipse? Und hat sie Tasten für Landeanflug?»

Offen gestanden, ich begann mir Sorgen zu machen. So mit der ganzen Familie auf 3000 Fuß ohne Fernbedienung, lediglich ausgerüstet mit einer Wolldecke. Dann rüttelte Nicolas an meiner Schulter, ich riss die Augen auf und sah, wie er grinste: «Cool», sagte er, «Papa pennt.»

Nicolas stand neben dem Sofa. Ich schaute zu ihm hoch, presste Lennart an mich und schob meinen Kopf vorsichtig über die Lehne. Rund sechzig Zentimeter unter mir sah ich Nicolas Füße auf festem Boden. «Pffffh», gab meine Lunge von sich.

«Mensch Alta», Nicolas tätschelte meinen Kopf, «kommst ins Ice Age, was?»

Gruppenbild mit Auto

Ferien sind herrlich. Familienferien sind natürlich noch herrlicher. Aber am herrlichsten ist der Tag vor den Familienferien. Am Tag vor den Familienferien wird nämlich das Familienauto gepackt. Und das Packen des Autos ist, soweit ich es bei Freunden und Nachbarn beobachten kann, allen emsigen Gleichstellungsbeauftragten zum Trotz noch immer ein echtes Privileg der Väter. Annette und die Kinder zerren Kisten, Kästen, Koffer, Beutel, Bündel, Boxen, Tüten, Taschen, Truhen zum Wagen, wo ich allein vor der gierig aufgesperrten Heckklappe Wache halte und in einsamer Machtvollkommenheit unabänderlich entscheide. Die bangen Blicke der Familie ruhen auf mir: Papa packt's oder Papa packt's nicht. Zumindest nicht ein.

Eins der letzten Vater-Vorrechte in unseren ansonsten wenig patriarchalischen Zeiten. Wie Napoleon vor den Pyramiden («40 Jahrhunderte schauen auf uns herab») stehen ich vor unserem Gepäckberg («40 Zentner schauen zu mir herauf») und murmle rhythmisch das Mantra der Familienväter vor Familienferien: «Schweres nach unten, Leichtes nach oben, Proviant in den Innenraum, Straßenkarten griffbereit, Kühlbox hinter die Vordersitze.»

Meine sprunghaft anwachsende Autorität sorgt selbstverständlich für sprunghaft anwachsende Autoritätskonflikte. Lennart beispielsweise versucht seine Super-Soaker unter den Fahrersitz zu schmuggeln, um wie letztes Jahr während der Fahrt für diese entzückenden feuchten Überraschungen sorgen zu können. Marten meint drei Ferienwochen lang mit einer Badehose und fünf Comics auszukommen. Nicolas dagegen schleppt seine Gymnastikmatte, diverse Sandsack-Gewichte, den Expander, die Klimmzugstange, das Springseil, zwei Kurzhanteln und eine erschreckend lange Langhantel, kurz: sein gesamtes persönliches Fitness-Studio zum Auto.

«Hast du schon mal bemerkt», frage ich interessiert, «dass wir einen morschen Passat fahren und keinen Sattelschlepper?»

In Momenten wie diesen stutzt Nicolas, seine Augen werden stumpf, sein Blick wendet sich nach innen, und ich frage mich, worüber er dort drinnen nachdenkt. Über seinen Vater? Über Urlaub ohne Hanteln? Über Sattelschlepper?

«Du nimmst für dich einen ganzen Koffer voller Bücher mit. Der is auch schwer.»

«Klar», nicke ich, «Bücher sind meine Arbeit. Die lese im Urlaub doch nicht zum Vergnügen. Ich schufte für die Familie.»

Zugegeben, das ist nicht ganz richtig. Aber soll ich mit meinem Sohn vor offener Heckklappe über libidinöse Lektüren diskutieren? Über Lust an der Literatur, über den Trieb zum Text? Er zögert, er ringt mit sich, er hält die Luft an, er gibt sich einen Ruck, er presst durch die Zähne: «Okay, lass ich die Sandsäcke eben hier.»

«Wirklich? Immerhin, sehr schön. Aber Hantelscheiben in Gesamtgewicht eines Sumo-Ringers sind unverzichtbar für deine Erholung?»

«Wir können sie ja ganz nach unten tun, unter die Koffer. Schweres nach unten, nich?»

«Etwas mehr Sport im Urlaub ist doch schön», hechelt Annette, während sie schon mal ein bisschen mit Nicolas'

Sprungseil übt, «so ein paar Übungen pro Tag tun allen gut. Dir auch.» Merkwürdigerweise ruht ihr Blick auf Bauchhöhe. Meiner Bauchhöhe.

«Also», ich hole Luft und dann verkünde ich Nicolas meine letztgültige, unwiderrufliche, patriarchalische Entscheidung, «also, die Hantelscheiben nach ganz unten – sind das wirklich alle, mehr hast du nicht? – drauf die Sandsäcke, dann Expander und Klimmzugstange. Wo sind denn die Gavity Boots? Und der Power-Slider für die Bauchmuskelübungen? Du vergisst aber auch alles.»

Glücklich spurtet Nicolas ins Haus, noch ein paar Kilo Fitness-Ballast holen, Annette lächelt gütig, Ferienstimmung breitet sich aus. Nur Lennart kreischt wieder ein bisschen, als ich seine Super-Soaker vom Rücksitz fische, wo er sie unter Martens Comics versteckt hat.

Über den Fluss und durch die Fenster

Dann kam der Tag, an dem wir alle zusammen unser Ferienhaus aufräumten. Wir waren erst vor einer Woche in unserem von Lavendelduft durchwehten, von Schmetterlingen durchflatterten Provence-Tal angekommen und saßen nichtsahnend beim Frühstück, als Annette überraschend bekannt gab: «Heute räumen wir mal auf. Das Haus hat's nötig.»

«Au ja», strahlte Marten, «au ja, wie schön. Da hab ich mich schon sooooo drauf gefreut.»

«Voll konkret krass geil», jubilierte Nicolas.

Lennart rannte, angesteckt vom allgemeinen Freudentaumel, zum nächsten besten Besen und drehte um dessen Stil Pirouetten wie ein Derwisch: «Gut, gut, gut, gut.» Danach war er grün um die Nase, schlingerte auf mich zu, drückte mir den Besen in die Hand und verschwand ins Bett: «Bin ganz doll müde.» Nicolas trottete mit *Harry Potter* Band 5 zur Toilette und stieß zwischen zusammengebissenen Zähnen ein Wort hervor, das klang wie: «Verstopfung». Und Marten musste unbedingt sofort jetzt im ausgetrockneten Flussbett neben dem Garten «mal nach den süßen Skorpionen schauen, die sind ja nur morgens da.»

«Na», zuckte Annette mit den Achseln, «fangen wir eben ohne Kinder an. Ich mach die Wäsche, du fegst die Terrasse.»

Mit Lennarts Besen trat ich vors Haus. Die Temperatur lag bei circa 100 Grad im Schatten. Allerdings war nirgendwo Schatten zu sehen. Seit Tagen schon kreisten Löschflugzeuge überm Haus. Vermutlich befürchteten die Piloten eine Selbstentzündung terrassenkehrender Touristen. Kaum setzte ich zu Fegeversuchen an, nahmen mir Schwaden von Lavendelgas die Luft und Insekten stürzten sich in dunklen Angriffswellen auf die Schweißströme, die über meinen Körper rannen. Ich rettete mich mit knapper Not zurück zur Terrassentür.

«Annette», keuchte ich, «also, du weißt, es gibt nichts Schöneres für mich, als Ferienhäuser fegen. Aber ich fürchte, jetzt ich muss wirklich schauen, was die Skorpione von Marten übriggelassen haben.»

«Ich komm mihit», rief Lennart, raste aus seinem Zimmer und durch die Terrassentür. Mit einem blitzsauberen Sprint konnte ich ihn einholen – musste allerdings auf halbem Weg Nicolas helfen, der sich durchs Toilettenfenster nach draußen zwängte.

Zusammen haben wir dann zwei, drei hemingwayhafte Vater-und-Söhne-Stunden im Flussbett verbracht. Eichen, Kiefern, Pappeln, Birken schlossen sich über uns zu einem sonnengesprenkelten, luftigen Dach. An einem vertrockneten Frosch nagten die Ameisen und trugen ihn eine endlose schwarz-wimmelnde Spur entlang stückweise in ihren Bau. Einige der Flusssteine sahen unauffällig braun aus, waren aber, wenn wir sie zerschlugen, innen glitzernd-grün. Unter ihnen lauerten erfreulicherweise keine Skorpione, sondern schläfrige Wolfsspinnen, die sich aufgeschreckt in dunkle Erdspalten zwängten. Der Fluss hatte, als er Hochwasser führte, die Wurzeln der Uferbäume freigespült, so dass bleiche Arme mit knorrig verkrümmten Fingern nach uns griffen. Und Lennart fand eine seltsame rostige Metallwippe, mit der er Steine meterweit katapultieren konnte. Schwarz-beige, fast handtellergroße Schmetterlinge umtänzelten uns und der Duft der Lavendelfelder lag leicht über allem.

Auf dem Rückweg half ich Nicolas, sich wieder durchs Toilettenfenster zu zwängen. Dann schärfte ich den anderen beiden ein, Annette gleich ein paar dieser wunderbar phantasievollen Kindergeschichten über unsere Abenteuer zu erzählen. So was kommt immer gut an.

Annette ruhte apart hingegossen auf der Couch, versunken in ihren Urlaubskrimi. Die Kinder stürzten zu ihr, geduldig besah sie mitgebrachte Steinsplitter, Froschknochen, Insektenleichen und Nicolas brüllte, kaum aus der Toilettentür getreten, etwas über bloßliegende Wurzeln, die Wanderer erwürgen.

«Dacht ich mir doch», zischte sie mir zu, als die Aufregung abebbte, «ich sag nur mal was von Aufräumen, schon kann ich in Ruhe lesen.»

Zikaden sehen dich an

«Wir wollen ein Haustier! Wir wollen ein Haustier! Wir wollen ein Haustier!» Die Jugend von heute ist, steht in den Zeitungen, komplett unpolitisch. Ernste Leitartikler machen sich ernste Sorgen deshalb, Wählerschwund, Politikverdrossenheit, Demokratie in Gefahr und so weiter. Vielleicht sollte ich die mal zu ihrer Beruhigung zu uns nach Haus einladen, unsere Kinder sind nämlich perfekt im Organisieren dreiköpfiger Vollversammlungen samt Protestmärschen, auf denen sie Forderungen skandieren: «Wir wollen ein Haustier! Wir wollen ein Haustier!»

«Nein, keine Haustiere!»

«Warum?» Martens Lieblingsfrage.

«Zählt nach: Ihr seid drei Kinder, wir sind zwei Eltern. Ist doch nicht fair, oder? Wo bleibt da die Generationengerechtigkeit? Jetzt noch Hunde auf eurer Seite, oder Katzen oder Hamster, dann sind Annette und ich ganz ohne Chance.»

«Eh Alda», Nicolas perfektionierte gerade sein Kanakisch, «iche will voll krass Haustier! Iche brauch dem Haustier für voll Vereantwotung ... äh ... bewuustesein!»

«Verantwortungsbewusstsein? Ha!» In alttestamentarischem Zorn wies Annettes Finger auf eine Zimmerlinde, deren Pflege sie den Kindern in bester pädagogischer Absicht übertragen hatte und die inzwischen zu Staub zerfiel.

«Aber», Lennart ließ sein engelsreines Kindergesicht zu uns hochleuchten, «aber ein Tier, ein Tier, das könnte ich immer streicheln.»

Es gibt Momente, in denen ist es nicht leicht für Eltern, nein zu sagen. Aber es muss sein, Kinder brauchen Grenzen. «Du hast doch zwei Brüder», beugte ich mich zu ihm runter: «Streichle die.»

Im Urlaub hätte Lennart dann unseren eisernen, gegen alle einschlägigen Oppositionsbestrebungen hartnäckig verteidigten Erziehungsgrundsatz um ein Haar zu Fall gebracht. Lennart robbte nämlich stundenlang durch die Glut der Provence und fing sich eine Zikade. Erst war alles noch ganz normal: Er steckte sie in ein Marmeladenglas, stopfte Halme und Blätter dazu und nannte sie Dieter. Doch irgendwann hatte er sie soweit, dass er sie aus dem Glas nehmen konnte und sie zutraulich auf seinem Finger hockte. Er zeigte Dieter das Haus, das Auto, den Kühlschrank und stellte ihm alle Familienmitglieder mit Namen vor. Dann machte er es sich wegen der Mittagshitze unter dem Sonnenschirm bequem, flüsterte ein bisschen mit Dieter und streichelte ihn.

«Schau mal Papa», sagte er, «wenn ich ihn hier streichle, hinten am Hals, das hat er besonders gern.»

«Bist du sicher?»

«Klar, hinten am Hals. Vorn unterm Kinn mag er nicht so.» Ich bin kein großer Zikadenkenner, zugegeben, und ich behaupte nicht, die Feinheiten ihrer Körpersprache deuten zu können. Aber Dieter hielt eindeutig still, während Lennarts biegsame Fingerspitze ihn kraulte. «Warum hüpft er nicht weg?»

«Erst, als ich ihn fing», erzählte Lennart, «wollte er immer weg. Dann hab ich geschimpft und er wollte immer noch weg. Dann hab ich ihn geschüttelt, ganz doll. Und schon war er brav.»

Ist das das Ergebnis unserer Erziehung? Haben wir Lennart zur Gewalt erzogen? Zur Gewalt gegen Zikaden?

Andererseits: Wir haben unsere Kinder noch nie geschüttelt, wir schimpfen nur und das Ergebnis ist, dass sie machen, was sie wollen. Lennart dagegen schüttelt Dieter nur ein einziges Mal und schon... Man darf gar nicht darüber nachdenken.

«Papa, kann Dieter heute Nacht bei mir im Bett schlafen?»

«Will er das denn?»

«Sicher, sonst schüttle ich ihn. Sieh mal wie gut er klettert.» Lennart hielt seinen Finger hoch. «Genauso gut wie ich. Das Klettern, das hat er von mir geerbt.»

Dann machte Dieter einen Riesenzikadensprung. Von Lennarts Finger bis zum Gartenzaun. Dann sprang Lennart ihm nach. Dann machte Dieter einen Sprung über den Zaun und war weg. Dann schrie und heulte Lennart, und schluchzte und wimmerte. Dann fingen ihm seine Brüder mindestens ein Dutzend Zikaden. Dann wollte Lennart keine davon, denn keine war Dieter. Dann weinte er und weinte. Dann weinte er bis zum Abend. Dann konnte er vor Weinen nicht zu Abend essen. Dann brachte ich ihn zu Bett, wo er weinte und weinte. Dann stand er noch mal auf, mit ganz nassem Gesicht, um das Fenster zu öffnen. Dann sagte er: «Damit ich Dieter wenigstens hören kann, heute Nacht, ich kenne seine Stimme.» Dann legte er sich wieder hin und weinte und weinte, und ich umarmte ihn mit ganz nasser Seele. Und dann irgendwann atmete er tief und stockend durch und schlief ein und die Tränen auf seinem Kissen trockneten.

Alles Müll – oder was?

Ich werfe gern weg. Oder um es gleich offen zu sagen: Wegwerfen ist meine Lieblingsbeschäftigung. Schon der Vorgang als solcher wärmt mein Herz: Das frohe Aufschwingen des Mülltonnendeckels, das satte Poltern, wenn der Abfall in die Tonne trudelt, die wunderbare Leichtigkeit des entleerten Papierkorbs in meinen Händen, der erhebende Anblick eines ausgekippten, jetzt wieder auffüllbaren Abfalleimers. Und das sind erst die ästhetischen Aspekte der Angelegenheit. Mehr noch genieße ich den Augenblick danach: Diese erregende Illusion, mich nun irgendwie schlanker durch das mit Pflichten, Fristen, Terminen voll gestopfte Vaterleben schlängeln zu können. Herrlich.

Dabei sind unsere Mülltonnen unverantwortlich klein. Nie kriege ich alles rein, was reingehört, kaum wurden sie geleert, sind sie auch schon wieder voll. Oft muss ich Tage warten, lange, harte Tage, bevor wieder was in ihren aufgesperrten Rachen passt. Inzwischen kann ich den Entsorgungskalender unserer Stadt auswendig hersagen: «Freitag: Hausmüll, Dienstag: Papiermüll, Donnerstag: Biomüll, die Gelbe Tonne jeden zweiten Montag, Sperrmüll erst wieder in fünf Wochen … «

Das Verhängnis will es, dass ich mit dieser Leidenschaft in unserer Familie völlig isoliert bin. Gelegentlich wird Annette von reinherzigen Toren bedauert, weil sie es als einzelne Frau mit drei Söhnen und einem Mann aufnehmen muss. Ja, sicher, eine harte Prüfung. Aber was ist das gegen das Schicksal, als passionierter Wegwerfer sein Dasein unter vier fundamentalistischen Aufhebern zu fristen? Sie sammeln alles: Steine, Bierdeckel, getrocknete Blütenblätter, Muscheln, zerfetzte Comic-Hefte, gebrauchtes Geschenkpapier, Regenwasser, buchstäblich alles.

«Ich sammle das Regenwasser ja nicht», sagt Annette, während sie in unseren Kellerregalen kramt, die unter unüberschaubaren Muschelmassen ächzen, «ich fülle es in Flaschen, um die Blumen zu gießen. Meine Mutter bekommt auch was davon. Und meine Schwester.»

«Verstehe ich dich recht?» versichere ich mich. «Du ziehst Regenwasser auf Flaschen und fährst es aus wie einst der Milchmann?»

«Zimmerpflanzen brauchen Regenwasser.» Sie stöbert in staubigen Kartons voller Bierdeckel.

«Und wenn wir», schlage ich vor, «heimlich Leitungswasser in Flaschen füllen und es den Pflanzen nicht verraten?»

«Sie merken es und gehen ein.»

«Mächtig clever, diese Blumen. Wir sollten Wannen ums Haus verteilen, wenn der nächste Monsun niedergeht. Wir könnten dann in der Kühltruhe einen Wasservorrat einfrieren. Für Dürrezeiten.»

«Hm», macht Annette, «ja», brummt sie, «wir bräuchten dann aber eine zweite Truhe, unsere ist voll.»

Bevor sie auf die Idee kommt, Kühltruhen zu sammeln, wechsle ich rasch das Thema: «Ist dir schon mal aufgefallen, dass der Schrank im Flur jetzt komplett voll ist mit Geschenkpapier? Ein großer Schrank bis oben dicht zu mit altem, zerknittertem Geschenkpapier?»

«Ja», strahlt Annette, «ist das nicht wunderbar! Proppevoll! Ich meine, wo wir doch oft so fix und fertig sind von all den Pflichten, Fristen, Terminen, können wir uns nun zurücklehnen und wissen, wir brauchen vorläufig kein Geschenkpapier. Fabelhaft, nicht wahr? Fa-bel-haft.»

Ich sehe in Annettes Augen und mein Kopf fühlt sich schrecklich leer an.

«Aber», lächelt Annette, «ist dir schon mal aufgefallen, dass dein Arbeitszimmer jetzt komplett voll ist mit Büchern? Ein großes Zimmer bis unter die Decke dicht zu mit alten, zerlesenen Büchern. Willst du davon nicht mal welche wegschmeißen?»

«Bücher wegschmeißen?» stottere ich. «Unmöglich. Bücher braucht man. Immer. Alle. Begriffe wie ‹Buch› und ‹Wegschmeißen› passen einfach nicht zusammen. Nie. Undenkbar. Verboten.»

«Wusst ichs doch!», jubelt Annette und hält triumphierend einen zerschrammten Sektkübel hoch. «Prima für Regenwasser!»

Später dann, als Annette den Kübel sauber schrubbte, damit ja nichts ins Wasser gerät, was Pflanzen den Magen verdirbt, fingerte ich leise zwei eingerissene, von Tesafilm verhunzte Papierbögen aus den turmhohen Stapeln im Flurschrank und stopfte sie mir unters Hemd. Sobald Annette den Kübel dann auf die Terrasse stellte zu den übrigen Becken, Flaschen, Trögen und mit den Kindern noch ein wenig im Kreis tanzte, um Regen zu beschwören, schlich ich im Schutz der Dämmerung zu den Mülltonnen, hob einen Deckel einen Spalt hoch und stopfte die beiden Bögen blitzschnell rein. Man sollte nicht denken, wie schwer es manchmal ist, als Familienvater emotional auf seine Kosten zu kommen.

In täglicher Mission

Ich habe meinen persönlichen Filmkritiker. Morgens, wenn ich auf dem Weg zum Kindergarten Marek ersetze, für den das frühe Aufstehen «einfach zu viel Stress» ist, sorgt Lennart dafür, dass ich cineastisch auf dem Laufenden bleibe. Zugegeben, er ist erst zweimal im Kino gewesen, hat *Lilo und Stitch* und *Das fliegende Klassenzimmer* gesehen und fand beide «eher gut». Dafür hat er umso mehr Zeit über die anderen Filme nachzudenken, die es sonst noch gibt. Gestern, als wir am Sportplatz um die Hundehaufen kurvten, war gerade James Bond dran.

«Der James Bond, der hat einen Füller, mit dem kann er unter Wasser atmen.»

«Ja? Woher weißt du das?»

«War so'n Bild in der Zeitung. Er schwimmt unter Wasser und hat den Füller im Mund mit Luft drin. Die Sowetunion wollte dann auch den Füller haben.»

«Sowjetunion mit j: Sowjjjetunion. Und das Land heißt nicht mehr Sowjetunion, sondern Russland.»

«Mensch Papa», wie alle Kritiker reagiert Lennart ziemlich ungnädig, wenn ihm Laien reinreden, «der James Bond ist doch voll alt. Da hieß das Sowetunion. Und als die Sowetunion den Füller kriegte, war da gar keine Luft drin. Der James Bond hat nämlich nur so gemacht und Luft angehalten.»

«Ein Filmtrick?» Nach dem Sportplatz kommt dieser lange, zugeparkte Bürgersteig, auf dem wir nur hintereinander gehen können.

«Mmh, ein Trick», nickte Lennart. «Der James Bond kann ne Menge Tricks. Darum finden ihn alle toll.»

«Was denn für Tricks?»

Eine Weile zockelte Lennart still vor mir her. «Also, der kann unheimlich gut Purzelbaum für sein Alter.»

«Purzelbaum? Ich dachte, der sieht gut aus, das finden die Leute toll.»

«Nee», entschied Lennart, «Der James Bond sieht nicht cool aus, der hat nichts Buntes an.»

«Aber er hat doch immer so viele schöne Frauen. Bestimmt, weil er so gut aussieht. Wie der blöde George Clooney, bah.» Nach dem langen, zugeparkten Bürgersteig muss Lennart eine Straße überqueren, sie ist nicht sehr befahren, trotzdem machen sich Annette und ich immer ein wenig Sorgen. Lennart schaut links, rechts, links, fragt «Ja?» und sobald ich «Ja!» antworte, läuft er rüber.

«Aber wenn der James Bond so viele Frauen hat», bohrte Lennart auf der anderen Straßenseite, «warum hat er dann keine Kinder?» Wirklich großartigen Kritikern gelingt es eben, uns selbst die vertrautesten Filmfiguren durch eine einzige simple Frage in völlig neuem Licht zu zeigen.

«Keine Kinder? Weiß nicht. Vielleicht will er keine Kinder.»

«Aber er probiert das doch immer wieder mit den Frauen, oder?»

«Richtig. Er probiert es. Definitiv.»

«Da ist der James Bond bestimmt ganz schön traurig, so ohne Kinder», meinte Lennart und tappte die flache Rampe zum Spielplatz beim Kindergarten runter.

«Wieso?»

«Na, der hat doch dann niemand, den er zum Kindergarten bringen darf.»

Ich kniete mich zu Lennart, küsste seine Stirn, sah ihm nach, wie er zu seiner Gruppe lief, winkte noch kurz den beiden Erzieherinnen zu und war mir für einen Moment lang vollkommen sicher, dass wir uns James Bond als einen tieftraurigen Menschen vorstellen müssen.

Kein Falter, nirgends

Papaa, Papaaa!» Marten bricht durch die Tür, bremst neben dem Schreibtisch, brüllt in mein Ohr. So sehr ich Martens ausgefeilte Technik bewundere, die Tür zum Arbeitszimmer beim Reinkommen in Trümmer zu legen, so wenig will es mir gelingen, sie zu beschreiben. Es geht einfach zu schnell. Sagen kann ich soviel: Erst bin ich allein, schreibe am Computer und es ist still, dann steht Marten da und es ist laut – und irgendwo im Hintergrund splittert das Türblatt. «Papaaaa!!» Wer eine Familienkolumne schreibt, kann dummerweise nicht immer bei seiner Familie sein und braucht ein klein wenig Ruhe. Altes Problem: Die einen schreiben so am Leben entlang und hätten es gern leise, die anderen leben und machen Krach. Thomas Mann hat dazu eine Menge ... «Papaaaaa!!!»

«Hmh?» Mein Blick bleibt auf dem Bildschirm, ich versuche dem halben Gedanken, der eben noch wie ein zarter Falter meinen Kopf umflatterte und zur Landung ansetzte, den Fluchtweg abzuschneiden. War es was mit Thomas Mann ... ?

«Papa, Lennart hat wieder was toll Lustiges gesagt, unheimlich lustig. So was für den Familienplaneten. Musst du aufschreiben, echt.»

«Hmh.» Die Wege der Falter sind unerforschlich. Dachte ich eben an Thomas Mann? Oder an Klaus Mann? Oder an ‹Raus Mann›?

«Also richtig lustig! Viel lustiger, als was du immer schreibst, Papa.»

«Oh danke, genau das wollte ich hören. Das muntert auf. Was hat Lennart denn gesagt?»

«Voll lustig, echt, so lustig. Viel lustiger als das mit den geschüttelten Zikaden, die waren voll blöd.»

«Gut, keine Zikaden mehr. Also, was war so lustig?»

«Ich und Lennart waren im Garten ...»

«... Lennart und ich ...»

«... nein, nicht du, ich war mit Lennart im Garten mit den Fahrrädern ...»

«... ihr sollt nicht auf dem Rasen Fahrrad fahren ...»

«... und dann ist er aufs Fahrrad gesprungen und hat so ‹Uuuh› gemacht und dann hat er gesagt, also voll lustig hat er gesagt, also, erst macht er ‹Uuuh› auf dem Fahrrad, und dann sagt er, er sagt ...» Auf Martens Stirn erscheinen erste Sorgenfalten. « ... er springt aufs Fahrrad und macht ‹Uuuh› und sagt ...» In sein Gesicht malt sich Verzweiflung «... oh Mann, ich weiß nicht mehr, es war lustig, viel lustiger, als was du schreibst.»

«Erwähntest du bereits.»

«Voll vergessen. Fällt mir einfach nicht mehr ein.» Er schmiegt sich trostsuchend auf meinen Schoß. «Es war so voll lustig, weißt du. Ist es jetzt weg für immer?»

«Kann sein.»

«Mann, für immer.» Einen Moment sitzt er reglos da, als versuche er sich ‹für immer› vorzustellen.

«Tja, Gedanken flattern um den Kopf wie Falter, manche setzen sich, andere nicht.»

«Falter?» Marten schaut interessiert, was sich so zwischen meinen Haaren tut. Was er dort entdeckt, falls er dort etwas entdeckt, fesselt seine Aufmerksamkeit allerdings nicht lange. «Also, ich geh mal zu Lennart. Und wenn er was Lustiges sagt, merk ichs mir diesmal total. Wegen Deinem Planeten.»

«Tu das», nicke ich. Dann stützt er sich beim Sprung von Schoß noch auf der Computertastatur ab und löscht zwei, drei Zeilen vom Schirm. «Bitte knall nicht die Tür so...» will ich rufen, aber da zittert sie schon im Rahmen, dass die Scharniere stöhnen. Und Stille kehrt zurück in einen komplett falterfreien Raum.

In Schallgewittern

Eben ist noch alles in Ordnung: Ich stehe am Regal, blättere ein wenig in einem alten Buch und bewundere die Amsel, die im Garten klug den Rasensamen aufpickt, den Annette gestern gesät hat. Sekunden drauf erzittert das Haus. Aus Nicolas' Zimmer bricht Lärm lawinengleich die Treppe herab und brandet mir derart gegen die Brust, dass ich mich schützend über mein Buch werfe. Im Sprung sehe ich gerade noch durchs Fenster, dass selbst die Amsel blass wird, bevor sie in Panik den Garten räumt.

Nicolas reißt seine Tür auf, brüllt: «Das ist *Boom* von P.O.D., krasser Song, was?» und knallt die Tür wieder zu. Der Lärm bleibt.

Aha, denke ich, *Boom*. Dann schaue ich nach, wie das Buch den Sturz überstanden hat. Nur ein paar Seiten rausgerissen, gerade mal ein Knick im Umschlag, was ist das schon, kaum der Rede wert.

Da beugt sich Annette über mich, die Weiseste von uns allen, und sagt: «Sieh es doch mal so: Nicolas möchte seine Begeisterung für Musik mit uns allen teilen. Er möchte, dass wir sie alle hören können. Er will uns an seinem Leben beteiligen. Das ist doch ein gutes Zeichen.»

«Musik?» frage ich. «Wo?»

Der Lärm von oben wechselt, Nicolas bricht wieder durch seine Tür, brüllt diesmal: «*She Hates Me* von Puddle of Mudd», und schmeißt die Tür wieder zu.

«Macht nichts», fährt Annette fort, «wenn du seine

Musik nicht magst. Die Kinder wollen das, sie wollen sich kulturell absetzen von ihren Eltern. Sie gewinnen so Identität.»

Aha, denke ich.

Später, es ist erstaunlicherweise wieder leise geworden im Haus, gehe ich wie zufällig an Nicolas' Tür vorüber. Aus einer Drehung heraus reiße ich sie mit einer ansatzlosen, hinreißend eleganten Bewegung auf, springe in sein Zimmer, halte die Überreste meines Buches hoch und brülle: «*Michael Kohlhaas* von Kleist. Krasse Novelle, was?»

Nicolas schaut mich mit weit offenen Augen an. Er ist um die Nase ein wenig blass geworden.

«Ich will dich», brülle ich weiter, «nur an meiner Begeisterung für Literatur teilhaben lassen. Ist doch ein gutes Zeichen, nicht wahr?»

Nicolas schaut weiter. Schweigt weiter. Kurz: Von echter Begeisterung ist wenig zu spüren.

«Na ja, macht nichts, wenn du Kleist nicht magst», brumme ich im Rausgehen. «Setze ich mich halt kulturell von dir ab. Gewinnt man Identität bei.»

Physiologie der Ehe

Gelegentlich gibt es auch Grüße von Familienplanet zu Familienplanet. Susanne G. aus S. zum Beispiel schreibt mir, sie lese wirklich gern, wie es bei uns so zugeht, «bei uns ist es genauso», schreibt sie, ihr Mann rede auch immer bloß von den Kindern und nie von ihr: «Mütter müssen alles machen für die Familie, aber am Schluss kommen sie nicht mehr vor.» Sie verlangt deshalb, in meinem nächsten Forschungsbericht über unseren Familienplaneten mehr über Annette zu erfahren. «Die hat sich das auch mal verdient, so allein unter vier Männern.» Dass vier noch nicht genug sein könnten, scheint dagegen Manfred P. aus Sch. zu glauben, der nicht mir, sondern Annette geschrieben hat, voller Verwunderung wie Annette es «mit einem Typ aushält, der nicht mal einen Videorecorder programmieren» kann und offenbar nicht alle Falter beisammen hat. Aber, schreibt er, «ich stand der Ehe schon immer skeptisch gegenüber» – was ihn nicht davon abhielt, Annette ein Foto von sich beizulegen. Wie aufmerksam von Manfred P. aus Sch.

Auch ich, möchte ich Manfred P. aus Sch. zurufen, auch ich stand früher der Ehe skeptisch gegenüber. Bei mir hatte das seine Ursache in einem prägenden Jugenderlebnis. Als Halbwüchsiger trat ich einmal in einem überfüllten Bus einer wirklich schönen Frau auf den Fuß. «Elender Trottel, kannst du nicht aufpassen», stieß sie hervor, drehte sich dann zu mir um, sah mich, lächelte betörend und sagte: «Verzeihung, ich dachte, Sie wären mein Mann.» Na ja, und da es nun mal reizvoller ist, von einer wirklich schönen Frau angelächelt statt Trottel genannt zu werden, beschloss ich noch in diesem Bus, auf ewig Junggeselle zu bleiben.

Als ich etliche Junggesellenjahre später Annette kennen lernte, von der Sie, liebe Susanne G. aus S., nun rückhaltlos alles erfahren sollen, was ich bislang in Erfahrung bringen konnte, wurde ich in diesem ewigen Entschluss selbstverständlich sofort unsicher und versuchte anhand von drei konkreten Fragen zu klären, ob sie die Frau ist, mit der ich würde zusammenleben können.

1. Wer ist sie?
2. Was will sie?
3. Gehört sie zu den Frauen, die einem nachts die Bettdecke wegziehen?

Die erste Frage klärte sich, als wir uns an einem lauen Sommertag auf den Weg ins nahe gelegene Café machten. Plötzlich rief eine sonore Männerstimme hinter uns: «Gott, haben Sie schöne Kniekehlen.» Wir drehten uns um. Der Mann sprach von Annettes Kniekehlen, nicht von meinen. Ich hatte Hosen an. Die folgenden Minuten verbrachte Annette damit, den überaus höflichen älteren Herren davon zu überzeugen, dass ihre Kniekehlen nicht schön seien: Hier habe sie ein Äderchen, da einen Fleck. Dass der Herr und ich der Ansicht waren, es handele sich um ein hinreißendes Äderchen und einen göttlichen Fleck, tat für sie nichts zur Sache. Nach reiflichem Erwägen kam ich zu dem Schluss, es könnte ein doppelter Vorzug sein, mit einer Frau zusammenzuleben, der wildfremde Passanten auf offener Straße huldigen, die aber darauf beharrt, dies für einen Irrtum zu halten.

Endgültig beantwortete sich meine erste Frage, als wir eines Abends auf einem Sofa saßen und lasen. Lasen! Es gibt nämlich, wenn ich das hier für Manfred P. aus Sch. einmal einflechten darf, noch ein Leben jenseits des Videorecorders. Als meine Aufmerksamkeit unbegreiflicherweise von der Lektüre des aktuellen Handke-Romans abgelenkt wurde und ich mein Buch sinken ließ, fragte ich Annette, was sie denn lese. «Nichts Besonderes», murmelte sie. Erst auf hartnäckige Nachfragen erklärte sie, es sei ein Krimi und es ginge um einen Mann, der in nebligen New Yorker Vollmondnächten schwangere Frauen überfalle, entkleide und an Straßenlaternen fessele, «um nichts Besonderes eben». Nach reiflichem Erwägen schien mir aus diesen Worten nicht nur eine gewisse Nervenstärke zu sprechen, sondern auch weitreichendes Verständnis für bestimmte Eigentümlichkeiten des männlichen Verhaltens. Ich gestehe, ich sah auch darin einen doppelten Vorzug. So kam ich zu der Überzeugung, dass die Antworten auf die Frage, wer Annette sei, einer Eheschließung zumindest nicht im Wege standen.

Die zweite Frage ‹Was will sie?› ließ sich ebenfalls schnell beantworten: Annette wollte Ärztin werden. Sie hatte schon damals die ans Wunderbare grenzende Fähigkeit, Worte wie «Hyperemesis», «Phenylketonurie» oder «Phäochromozytom» nicht nur flüssig aussprechen zu können, nein, sie wusste sogar, was das ist, und – was für einen hypochondrisch veranlagten Menschen nicht unwichtig ist – sie konnte und kann bis heute täglich überzeugend darlegen, dass ich nicht daran leide. Weshalb ich übrigens, liebe Susanne G. aus S., mit anderen Menschen keineswegs nur über unsere Kinder rede, sondern oft auch unaufgefordert über Annette. Wenn ich zum Beispiel gefragt werde, «Na, wie geht's?», antworte ich oft:

«Kopfschmerzen, heute früh hatte ich Kopfschmerzen, aber meine Hausärztin sagt, es wär kein Krebs.» Wen wundert es also, wenn ich nach reiflicher Überlegung zu dem Schluss kam, wir seien das perfekte Paar.

Blieb noch die abschließende Frage zu klären, ob Annette zu den Frauen gehört, die einem nachts im Schlaf die Bettdecke wegziehen. Dieser Punkt mag nach den beiden ersten, deutlich ins Philosophische lappenden Fragen vielleicht ein wenig oberflächlich klingen. Er ist es aber meines Erachtens nicht. Ich glaube, das Bettdeckewegziehen und die Angst vor dem Bettdeckewegziehen haben ernste tiefenpsychologische Dimensionen. Schließlich möchte niemand, kaum dass er schlafend schwach und wehrlos ist, ohne Bettdecke daliegen, also von der eigenen Gefährtin der beißenden Kälte dieser Welt ausgesetzt werden, einer Gefährtin, die nachts ihr wahres, ihr raffgieriges Ich offenbart und dem Penner neben ihr noch den letzten schützenden Fetzen raubt.

Genauere Prüfungen ergaben jedoch, dass Annette nicht zu den Bettdeckenwegzieherinnen gehört. Nein, sie gehört zu den Kopfkissenrüberdrückerinnen. Wenn ich morgens erwache und mein erster Blick dem Antlitz des Menschen gilt, mit dem ich mein Leben teile, sehe ich schwarz. Denn Annette schläft gern mit dem Kopf flach auf der Matratze und entsorgt ihr Kissen der Einfachheit halber in meine Richtung. Wenn ich dann morgens so ins Schwarze starre, denke ich häufig: Gut, Annette überlässt mich, wenn ich schlafend schwach und wehrlos bin, nicht der Kälte dieser Welt. Nein, das macht sie nicht. Wie aber ist ihr kissentechnisches Verhalten psychologisch zu deuten? Will sie – überlege ich –, sobald ich schlafend schwach und wehrlos bin, mir kräftig einen reindrücken? Ich gebe zu, diese Interpretation ist nicht ganz von der

Hand zu weisen, aber sie erscheint mir letztlich einseitig und übelwollend. Ist es nicht vielmehr so, dass Annette voll der Güte und der Gaben sogar des Nachts, sogar schlafend, bereit ist, alles wegzuschenken? Ist es nicht so, dass sie bereit ist, wenn nicht ihr letztes Hemd, so doch all die Kissen, die sie ohnehin nicht braucht, mit mir zu teilen? Ich war und bin überzeugt, dass es sich so verhält.

Also blieb schließlich, bevor ich meine Skepsis gegenüber der Ehe endgültig überwand, nur noch eine letzte, eine vierte, eine Zusatzfrage zu klären: Wie verhält sich Annette, sollte ich ihr in einem überfüllten Bus auf den Fuß treten? Die Antwort stellte sich ganz ungezwungen an einem verkaufsoffenen Samstag ein. Leider war der Bus überfüllt, leider trat ich Annette auf den Fuß, und siehe da, sie wurde nicht wütend, sie nannte mich nicht Trottel. Sie lächelte mich stattdessen betörend an, sagte «Liebling» zu mir und deutete auf einen beängstigend aussehenden, vermutlich bewaffneten Zuhältertypen neben uns. «Liebling», sagte sie, «warum trittst Du mich? Tritt ihn.» Damit, lieber Manfred P. aus Sch., waren meine Befürchtungen vor der Ehe natürlich vollständig ausgeräumt.

Nachdenken über Marten W.

Wie die meisten Väter heutzutage kenne ich meine Kinder buchstäblich von Geburt an. Man sollte meinen, ich wüsste Bescheid über sie. Tue ich aber nicht, die drei sind rätselvolle Wesen. Zum Beispiel Marten, er ist jetzt neun Jahre alt, 28 Kilo schwer und geht in die vierte Klasse. Manchmal versuche ich mehr über ihn in Erfahrung zu bringen, indem ich die Dinge studiere, mit denen er sich umgibt. Letzten Sonntag fand ich in seinem Bett, seiner elternverbotfreien Zone:

Einen erschütternd laut tickenden Wecker; eine Zeitschrift, aufgeschlagen bei einem Bericht über die Erstbesteigung des Mount Everest; 1,3 Kilo Legosteine (ich habe sie auf der Fußwaage im Bad gewogen); das *Mammutbuch der Technik*; eine einzelne graue Socke; das amerikanische Spaceshuttle, 6,5 cm lang, weiß, aus Metall; einen aus einer Plastiktüte gebastelten Fallschirm, der mit vier Schnüren am Hals eines Soldaten befestigt war; ein Buch über Sterne und eins über Indianer; noch eine Socke, diesmal eine blaue; sieben Bonbonpapierchen; fünf Kinderkrimis; eine dieser wassergefüllten Glaskugeln, in denen man durch Schütteln ein Schneegestöber erzeugen kann, mitten im Gestöber stand ein gelber Mönch mit drei Köpfen; achtzehn Bunt- und Bleistifte, alle abgebrochen; eine Pokémon-Figur aus Nylon; ein Karo-As; sein Sparbuch (Guthaben: 57,87 Euro); acht Dinosaurier-Sammelbilder; einen leeren *Magic-Candy*-Pfefferminz-Spender und zwei Comic-Hefte.

Was will mir das sagen? Ich habe keinen blassen Schimmer. Weshalb sind alle Stifte abgebrochen? Warum bindet er den Fallschirm an den Hals? Wieso das Karo-As? Und wo sind die anderen Socken? Ich habe lange an Martens Bett gestanden und er wurde immer geheimnisvoller. Hat er die Bonbons vor oder nach dem Zähneputzen gegessen? Weshalb hat der Mönch drei Köpfe? Muss ich mir Sorgen machen? All diese Fragen. Sie flatterten wie Falter um meinen Kopf, bis ich mich einen Moment hinlegte. Als ich wieder aufwachte, stand Annette vor mir.

«Also gut», sagte sie. «Du schläfst tagsüber in Martens Bett, zählst alte Bonbonpapierchen und wiegst Legosteine auf der Fußwaage im Bad. Okay. Aber musst du wirklich allen erzählen, die Kinder seien ein Rätsel?»

Im blauen Mond September

Annette liebt Ausflüge, vor allem Fahrradausflüge mit der ganzen Familie. Also machen wir gelegentlich Fahrradausflüge mit der ganzen Familie. Aber nicht oft, lassen Sie mich erklären, warum. Letzten Samstag zum Beispiel, als die Septembersonne so appetitlich ins Fenster leuchtete, beschloss Annette: «Heute machen wir einen Fahrradausflug mit der ganzen Familie.»

«Natürlich», säuselte ich, «ja doch, ein Fahrradausflug mit der ganzen Familie, wie schön.» Nicolas schnaubte: «Absolut ungeil. Mach ich nicht mit. Ich gehör nicht zur Familie. Klar?» Marten lachte: «Mein Fahrrad ist platt, ich kann nicht mitfahren», und hüpfte selig auf der Stelle. Nur Lennart sagte nichts, er raste schreiend in sein Zimmer und versteckte sich unter der Bettdecke.

Annette packte schon mal die Satteltaschen, Äpfel, Wasser, Kekse, Luftpumpe, summte dabei leis, riet mir, mich um Martens Reifen zu kümmern und machte Nicolas klar, dass sie mindestens einen Monat lang nicht die Kraft haben werde, ihn zum Fußballtraining zu fahren, wenn sie sich heute nicht erholen könne bei einem Fahrradausflug mit der ganzen Familie.

«Erpressung», keuchte Nicolas. «Erpressen dürft ihr nicht, das steht in allen Erzieh-Büchern. Soll ich neurotisch werden? Wollt ihr das?»

Martens Reifen saß zu fest auf der Felge. Als ich ihn runterhebelte, verbogen die Montiereisen. Als ich das Loch suchte, fand ich drei. Der Kleber war eingetrocknet, die Flicken hafteten höllisch an der Verpackung, dafür aber schlecht auf dem Schlauch. Mit krummen Montiereisen ließ sich der Reifen nicht wieder über die Felge wuchten. Also half ich mit dem Schraubenzieher nach, der ein schönes neues Loch in den Schlauch riss, weshalb ich den Reifen gleich wieder runterhebelte.

Annette lag in der Zwischenzeit mit Lennart im Wohnzimmer auf dem Boden und erläuterte ihm die Route: «Hier am Fluss ist eine alte Landepiste, wo Modellflugzeuge gestartet und vorgeführt werden, und da ist der Mount Scherbelino mit riesen Abenteuerspielplatz. Freust du dich?», fragte sie strahlend: «Ein richtiger Fahrradausflug mit der ganzen Familie!»

«Scherbelino? Wo ist Mount Everest? Ich will zum Mount Everest.»

«Ich fürchte, der ist für heute zu weit.» Lennart sagte nichts, er raste schreiend in sein Zimmer und versteckte sich unter der Bettdecke.

«Ey», Nicolas schaute zu Annette wie in eine Kamera der Sportschau. «Okay, hiermit beende ich meine Fußballkarriere. Du brauchst mich nie wieder zum Training zu bringen. Aber ich fahr nicht mit. Echt nicht.»

«Wir machen selten Fahrradausflüge», lächelte Annette, «aber dann mit der ganzen Familie», holte die Regenjacken aus den Schränken, die Schuhe aus dem Flur, die Fahrradhelme aus dem Keller und Lennart aus dem Bett. «So einen blauen Septembertag», sagte sie und schloss die Haustür hinter uns zu, «den dürfen wir nicht verpassen.»

Marten steuerte in der Hoffnung auf neue Löcher mit dem geflickten Rad in die Brombeersträucher bei Schmitt-Lehmanns. Ich sah ihm zu und dachte darüber nach, schreiend in mein Zimmer zu rasen und mich unter der Bettdecke zu verstecken. Annette verteilte Satteltaschen,

Helme, Jacken. Nicolas hämmerte mit der Faust auf die Lenkstange « ... ich will nicht mit, ich will nicht mit, ich will nicht mit ... « Marten wurde blass, als er feststellte, dass seine Reifen keine Luft verloren und Lennart warf sich quer über sein Rad und jaulte: «Ich kann nicht mehr.»

Ja, und dann war es so weit und wir waren fertig, zur Abfahrt. Wir machen nicht oft Fahrradausflüge mit der ganzen Familie.

Legende vom Lärm ohne Ende

Unsere Kinder kennen zwei Geräuschpegel: laut und extrem laut. Zugegeben, wer gute Ohren hat und genau hinhört, könnte wohl noch ein paar Zwischenstufen ausmachen. Aber ich würde niemandem, der gute Ohren hat, dazu raten, genau hinzuhören. Denn laut meint in diesem Fall wirklich laut, und extrem laut meint trommelfellzerfetzend. Die meisten unserer Gäste finden das lustig, sie sagen, wir hätten lebhafte Kinder.

«Ihre Kinder sind aber lebhaft.»

«Wie bitte?»

«Ihre Kinder sind sehr lebhaft!»

«'tschuldigung, ich verstehe Sie schlecht, unsere Kinder sind heute ein wenig lebhaft.»

«Verzeihung, was sagten Sie? Ich konnte Sie nicht hören, Ihre Kinder waren gerade recht lebhaft.»

Undsoweiterundsofort. Beim Abschied lächeln unsere Gäste dann benommen, schütteln Annette und mir die Hände, und wir lesen von ihren Lippen, wie sie sagen, dass sie den Besuch lustig fanden und uns zu unseren lebhaften Kindern beglückwünschen und zu der ruhigen Wohnlage am Rande der Stadt. Danach winken sie noch mal, wenden den Wagen, geben Gas und kommen nie wieder.

Verglichen damit haben es unsere Nachbarn nicht so leicht. Vor allem Schmitt-Lehmanns gleich nebenan. Als ich das letzte Mal mit Herrn Schmitt-Lehmann sprach, hielt er den Kopf seltsam nach vorn gebeugt, murmelte etwas von einem Knallschaden und war auf dem Weg zum Arzt. Was daraus geworden ist, weiß ich nicht, das Gespräch liegt schon ein paar Jahre zurück.

Auf jeden Fall begannen Schmitt-Lehmanns danach lärmtechnisch aufzurüsten. Zuerst haben sie sich eine Trennschleifmaschine gekauft, mit der sie die Steine für ihren Gartenweg zurechtschnitten. Sie brauchten sehr viele Steine und sie schnitten sie sehr gründlich zurecht, vor allem mittags, am Abend und am Wochenende. Sonntags bläst Herr Schmitt-Lehmann auch mal gern die Zündkerzen seines Wagens durch mit Pressluft aus seinem Kleinkompressor. Ich bin sicher, seine Zündkerzen sind die saubersten der Stadt. Etwas, worauf man stolz sein kann. Für den Herbst hat er sich jetzt ein tragbares Laubblas-Gerät angeschafft, eine Art benzinmotorgetriebenen Riesenfön, mit dem er alles, was er in seinem Garten nicht brauchen kann, zu uns rüber bläst.

«Müssen wir eigentlich», frage ich Annette, «nur weil die Kinder gelegentlich ein wenig lebhaft sind, jede akustische Gewalttat der Nachbarn widerspruchslos hinnehmen?»

Annette zuckt mit den Schultern: «Verstehe kein Wort! Die Kinder sind heute so lebhaft.»

Ich schiebe Annette einen Zettel mit meiner Frage hin. Sie liest, stutzt, schreibt dann: «Stört dich der Riesenfön?» Als ich nicke, dreht sie sich um, steuert aus der Haustür auf Herrn Schmitt-Lehmann zu, der gerade in seinem Garten steht mitten in einem Inferno aus Laub und Lärm. Ich sehe, wie sie ihn zum Zaun winkt, wie sie lächelnd mit ihm spricht, wie er den Fön abstellt, wie Annette auf den Fön deutet, wie Schmitt-Lehmann blass wird, auf die Knie sinkt, die Hände flehentlich zu Annette

hebt, in Tränen ausbricht und schwört, das Gerät augenblicklich zu verschrotten.

«Nein», schreibt Annette auf den Zettel, als ich sie danach besorgt ansehe, «nein, ich habe nicht behauptet, wir seien bei der Mafia. Ich habe ihm gratuliert zu seiner Laub-Puste und gefragt, ob er uns nicht drei davon für die Kinder besorgen kann, die freuen sich immer so über technisches Spielzeug.»

«Außerdem», notierte Annette noch darunter, «habe ich uns bei der Volkshochschule angemeldet: Gebärdensprache für Gehörlose. Die Kinder sind in letzter Zeit doch oft recht lebhaft.»

«Bitte geht rauf und hol deine Uhr». Nicolas knurrt vernehmlich, will zu seinem Zimmer. «Zieh die Schuhe aus, bitte, wenn du durchs Haus läufst.»

Gut, ich kann verstehen, wenn Nicolas seine Schuhe nunmehr etwas schwungvoller abstreift, beim Uhrholen murrend noch ein bisschen Eminem zitiert: «I still don't give a fuck, y'all can kiss my ass» und mich am Abend wieder mal nicht in sein Nachtgebet einschließt. Aber wäre es im erziehungsberaterischen Sinne besser gewesen, zuzusehen wie Nicolas die Musik laufen, das Haus offen und das Abendessen platzen lässt? Scheint so, als würden die Grenzen, die ich ihm setze, allmählich auch zwischen mir und ihm wachsen, dabei ist es doch erst ein paar Jahre her, dass ich ihn auf Händen trug und er seine heiße Stirn an meinen Hals schmiegte.

Nachdem Nicolas die Tür endgültig hinter sich zugedonnert hat, mache ich sie noch mal auf und rufe: «Möchtest du drüber reden? Möchtest du eine Familienkonferenz?» Sein Blick signalisiert so allerlei. Aber offen gestanden deutet wenig davon auf echte Zustimmung. Also schließe ich die Tür leise, schnappe mir ein Familienmagazin und tauche ein in die wunderbare Welt der Erziehungstipps.

Kühe in Halbtrauer

Gestern wollte Marten Erfinder werden. Genauer, ihm war gerade klar geworden, dass er längst Erfinder ist: «Bitte, wo bitte ist das Patentamt, bitte?», fragte er mich. Er steckte gerade, hatte Annette kürzlich festgestellt, tief in einer Höflichkeitsphase.

«In München, glaube ich. Aber vielleicht gibt es eine Zweigstelle in unserer Stadt. Soll ich suchen?»

«Ja. Bitte schnell. Ist dringend.»

«So? Hast du was erfunden?»

«Möchte ich nicht sagen. Sonst klaut mir einer die Idee.»

«Und wenn ich verspreche, sie dir nicht zu stehlen?»

Kaum zu glauben, wie skeptisch ein Kind aller Höflichkeit zum Trotz den eigenen Vater ansehen kann. «Gut», gab er sich einen Ruck. «Schwebende Autos. Hab ich erfunden. Fahren ohne Räder.»

«Wie das?»

«Im Motor von Autos explodiert doch Benzin und drückt dabei die Kolben nach unten. Den Druck lenke ich in Schläuchen zu den Ecken der Autos, da wo sonst Räder sind, und da hält der Luftdruck das Auto dann in der Schwebe.»

«Ja, das geht. Bei Schiffen macht man das. Man nennt sie Luftkissenboote. Hovercraft. Aber wie soll dein Auto fahren, wenn du den Motor fürs Schweben brauchst?»

«Na, ich bau eben einen zweiten Motor ein, der das Auto mit Düsen nach vorne drückt.»

«Wie wird gebremst ohne Räder?»

«Da gibt es noch einen Motor mit Bremsdüsen.»

«Und wie willst du lenken? Halt, sag's nicht, lass mich raten ...»

«Also, Papa, das ist einfach: Ein Motor mit Düsen nach rechts und noch einer mit Düsen nach links.»

« ... dacht ich's mir.»

«Suchst du bitte das Patentamt?»

«Aber deine Erfindung ist doch schon erfunden: Diese Luftkissenboote, sie fahren mit Gasturbinen, nicht mit Benzinmotoren.»

«Und? Meine Erfindung ist für Autos und mit Benzin. Bitte also. Oder bist du mal wieder zu faul, die Adresse zu suchen?»

Ich konnte Annette beruhigen: Offensichtlich schien Marten seine Höflichkeitsphase gerade unbeschadet hinter sich zu lassen. Ich scheuchte den Computer ins Internet und gab «Patentamt» in die Suchmaschine ein. Wir starrten auf den Bildschirm.

«Luftkissenautos wären unheimlich laut», gab ich zu bedenken.

«Dann müssen eben alle Leute Ohrenschützer tragen.» Das Patentamt meldete sich, es war tatsächlich in München und bat Erfinder um E-Mails. Ich reichte Marten die Tastatur. «Schwebeauto erfunden», tippt er, «aus dem Motor Luftdruck an die Autoecken. Marten.» Er klickt auf *Absenden*.

«Erfinden macht aber voll Mühe», stöhnte er. «Ich hasse Papierkram.» Er schob die Tastatur wieder zu mir. «Vielleicht», meinte er, «werd ich doch lieber Tierarzt. Kannst du mal eine Tierklinik raussuchen?»

«Klar. Wozu?»

«Wenn die Schwebeautos jetzt so'n Krach machen,

bleiben die Kühe sicher lieber im Stall. Man müsste ihr Euter durch einen Schlauch mit dem Maul verbinden. Dann brauchen sie kein Gras mehr essen.»

«Und woher bekommen wir dann unsere Milch?»

«Kriegen die Kühe eben zwei Euter, Gentechnik und so. Du hast wirklich keine Ahnung.» Damit trollte er sich in Richtung Kinderzimmer. Vermutlich, um dort aus Leichenteilen schon mal ein paar Doppel-Euter-Kühe zusammenzubasteln. In der Tür drehte er sich um und warf mir ein munteres Frankenstein-Lächeln zu: «Mach dir nichts draus, Papa, du bist einfach zu alt. Aber dagegen erfind ich was.»

Memento Opi

Gibma ne Schippe.»

Offen gestanden beschleicht mich gelegentlich der Verdacht, die Kinder könnten Annette und mich während der Schule nicht wirklich vermissen. Zumindest zeigen sie bei ihrer Rückkehr nur dezente Anzeichen von Wiedersehensfreude. Meist hämmern sie mit Fäusten gegen die Haustür, wenn unser Portierservice ihrem Geschmack nach eine Nummer zu lahm ausfällt, werfen Taschen und Jacken von sich, stapfen stumm die Treppe rauf und lassen, bevor ihre Zimmertür ins Schloss knallt, dem gefassten elterlichen Publikum noch ein fröhliches «Hunger!» zukommen.

So war ich doch überrascht, als Marten und Lennart gestern sichtlich ergriffenen vor der Tür standen und Interesse an unserer Gartengerätschaft zeigten: «Die Schippe! Jetzt gib mal!»

«Den Spaten? Wozu?»

«Ein Igel», jammerte Lennart und zeigte mit ganzem Arm zur Straße. «Da!»

«Einfach platt gefahren», schrie Marten, «einfach tot. Ein ganz niedlicher Igel.» Er fauchte durch die Nase und funkelte mich an, als wäre es mein Hobby, lebendige Igelbabys an Spießen zu rösten.

Nicolas brüllte von der Straße: «Krass, der ist total aufgeplatzt, die Gedärme ...», er machte begeisterte Bewegungen vor seinem Bauch, «... hängen voll raus.»

«Nicolas, bitte!», herrschte ich ihn an. Immerhin hatte

ich zu Mittag kleine Schnitzel gemacht, und die lasse ich innen gern zart rosa.

«Wir wollen ihn im Garten begraben», knurrte Marten. «Also, holst du jetzt die Schippe?»

Ich entdeckte den Spaten im Keller irgendwo hinter den alten Fahrrädern, hörte, während ich an ihm zerrte, ein vertrautes Zischen aus der Küche, raste zum Herd, löschte die Flamme unter dem übergekochten Kartoffelwasser, verteilte noch ein paar Klumpen Spaten-Erde über den Küchenboden und folgte den Kindern dann zur Igelleiche.

«Voll geplatzt», dröhnte Nicolas, «kuck, das Blut, bis da hinten gespritzt.»

«Nicolas, bitte!!» Ich versuchte an nichts zu denken, während ich den Spaten unter den schmalen, schlaffen Körper schob. Eine kleine rosa Zungenspitze hing aus dem halboffenen Maul. Unser Trauerzug zum Garten war kurz, Marten fasste nach meinen Händen, als wolle er mir beim Tragen des Spatens helfen, ich sah, wie die ersten Tropfen seine Unterlider überschwemmten und zum Kinn rollten. Lennart suchte für den Igel einen stillen Platz hinter dem großen Holunder. Ich grub nicht tief, Marten stopfte ein paar Blätter in das Loch («Ist weicher so»), dann hob ich den Igel hinein und deckte Erde über ihn. Marten brach vom Holunder eine dünne Astgabel ab, die eher wie ein «K» aussah als wie ein Kreuz, bog unglücklich an ihr herum, kniete sich hin und steckte sie ans Kopfende des flachen Grabhügels. Lennart legte eine Hand voll Blütenblätter dazu, die er unter Annettes Rosenstock aufgelesen hatte und Nicolas holte aus der Küche ein Teelicht, stellte es daneben und zündete es an.

«Was für Gebräuche sonst?», murmelte ich.

«Hmh?» Die drei blickten zu mir auf.

«Ach nichts. Nur so ein Zitat. Vergesst es.»

Lennart schien rundum glücklich mit unserer Zeremonie: «Können wir nicht noch einen vergraben?»

«*Be*graben», schnaubte Marten, «bei Gestorbenen heißt es *be*graben.»

«Können wir», nickte Lennart, «nicht noch wen begraben? Dann ist der Igel nicht so allein.» Prüfend schaute er zu mir hoch.

«Also ich», hob ich abwehrend die Hände, «fühle mich noch ganz fit. Ich möchte da lieber nichts übereilen.»

«Aber die Opas», schlug Lennart vor, «die sind beide schon tot.»

«Ja», gab ich zu, «schon lange. Aber sie sind beide auch schon lange begraben.»

«Wir könnten sie doch vom Friedhof holen und hier beim Igel eingraben.» Lennart hüpfte wie ein Gummiball auf der Stelle.

«Ich hätte so gern einen Opa», über Martens Gesicht liefen neue Tränen.

«Mann», höhnte Nicolas, «Marten heult schon wieder, Marten heult schon wieder.»

«Nicolas, bitte!!!» Für andere Väter ist es bestimmt eine Kleinigkeit zwischen Schnitzel und Pellkartoffeln schnell mal als Totengräber einzuspringen, über das frühe Ableben der Großväter hinwegzutrösten und die bürokratischen Hindernisse für postmortale Igel- und Familienzusammenführungen kindgerecht zu erläutern. Ich jedoch fühlte mich, muss ich gestehen, in diesem Augenblick ein wenig hilflos: «Was haltet ihr davon», plapperte ich meinem ersten besten Einfall hinterher, «wir bauen nach dem Essen ein Gedenkkreuz für die Opas?»

Sicher, das war nicht die beste Idee meiner Laufbahn, zumal die Kinder nach dem Essen darauf bestanden, das

Kreuz aus zwei übermannsgroßen Brettern zusammenzunageln. Aber was soll man machen? Die Nachbarn wirken, seit wir das Kreuz aufrichteten, einigermaßen verunsichert und noch am gleichen Abend kam der Pfarrer. Ich habe ihm versichert, dass wir kein Konkurrenzunternehmen planen. Schon nächstes Frühjahr, sobald der Holunder wieder ausschlägt, breitet die Natur, hoffe ich, gnädiges Grün über meinen Einfall. Und mit ein klein bisschen Glück kann ich, wenn die Kinder nicht aufpassen, ihn dann wieder in zwei Bretter zerlegen und im Keller verschwinden lassen.

Das Drama auf der Jagd

Annette mag keine Spinnen. Definitiv nicht. Vielleicht hat sie sogar ein wenig Angst vor Spinnen. Annette würde das selbst nie so formulieren, aber es wäre eine Erklärung dafür, weshalb sie kreischt, wenn sie eine sieht, alles fallen lässt und wegrennt. Erstaunlich, denn sie ist ansonsten keine furchtsame Frau. Ich war einmal dabei, wie ihr als Assistenzärztin im Krankenhaus zwei Krankenwagenfahrer dumme Antworten gaben. Ein denkwürdiges Erlebnis. Die beiden sahen aus wie die Klitschko-Brüder, nur kräftiger, aber als Annette mit ihnen fertig war, schlichen sie sehr klein und sehr blass zur Tür. Der eine zitterte ein wenig. Wenn der gewusst hätte, dass er Annette nur wie eine Spinne aus zwanzig Augen ansehen braucht und auf acht Beinen vor ihr herumtrippeln, um ... Egal.

Gut, sagen wir, Annette ist nicht gerade versessen auf Spinnen. Unglücklicherweise will es die Natur, dass im Herbst die Spinnen ganz versessen sind auf unser Haus. Draußen wird es kalt, drinnen ist es warm, also kommen sie rein, machen es sich in dunklen Winkeln gemütlich, bis Annette sie sieht, kreischt, alles fallen lässt und wegrennt.

«Im Keller», schreit sie, «im Keller, im Keller ist schon wieder eine Spinne. So groß.» Was sie mit Händen andeutet, hat in etwa das Format eines Schäferhundes. «Schaff sie weg, Uwe, raus damit. Oder ich zieh aus.» Annette schaut mich an, als wäre ich Siegfried der Drachentöter, was sie selten tut. Geschmeichelt hole ich aus der Küche den Besen, lege ihn ein wie eine Lanze und steige hinab in die Finsternis, um dem Untier meine Waffe tief in sein Röhrenherz zu stoßen.

Natürlich sind die Kinder längst vor mir im Keller. «Eine Trichterspinne, *Agelenidae*», schreit Marten begeistert, «die machen in Büschen so Trichternetze, mit denen sie Käfer fangen und in denen sie ihre Kinder aufziehen.» Annettes Größenangaben sind, wie immer in solchen Fällen, nicht sehr zuverlässig, die Spinne hat die Größe eines Bernhardiners. Ich fasse meine Lanze fester, will gerade einen größeren Anlauf holen, da klammert sich Lennart an mein Bein: «Mach sie nicht tot», brüllt er. «Vielleicht hat sie Kinder.»

Man muss sich diesen Satz auf der Zunge zergehen lassen, das also ist das Verhältnis unserer Kinder zu Tod und Gewalt. Man möchte einen Erwachsenen zerquetschen? Bitte sehr, ist ihnen schnurz. Man will ihn mit einem Besenstiel an die Kellerwand nageln? Kein Problem, stört sie nicht. Doch sollte dieser Erwachsene Kinder haben, die im Falle seines Ablebens im heimischen Trichternetz auf warme Käfermahlzeiten verzichten müssen, dann klammern sie sich dem eigenen Vater ans Bein und fallen ihm in den Arm.

«Lennart», fauche ich, «bist du des Wahnsinns, Annette zieht aus.»

«Du kannst sie ja», flötet Annette von oben, «mit einem Becher fangen und lebend rausschaffen. Aber komm mir nicht zu nah dabei.»

«Becher?» Ich kann Lennart beim besten Willen nicht abschütteln. «Hast du das Biest gesehen? Da brauch ich eine Badewanne.»

Nicolas kommt mit einem Glas aus der Küche, stülpt

es über die Spinne, schiebt vorsichtig einen Bierdeckel zwischen Glas und Kellerwand und bringt seine Beute vor die Haustür.

Im Garten schart sich die Familie um das Glas, zehn Augen starren rein, zwanzig raus. «Sie hat bestimmt Kinder», sagt Lennart, «ganz bestimmt.»

«Woran siehst du das?»

«Na, sie kuckt, wie Eltern immer so kucken.»

Ich gehe ganz nah ran an die schützende Glaswand und betrachte ihre Augen. Sie sind schwarz, blutunterlaufen und flackern irre.

«Mein Gott, Nicolas ist so groß geworden», flüstert Annette, als wir zuschauen, wie er die Spinne am Zaun zu Schmitt-Lehmanns Grundstück aussetzt, «so kräftig und männlich. So entschlossen.»

«Klar», gebe ich zu, «Nicolas hat die Spinne gefangen. Aber ich, ich war auch ganz nah dran, direkt vor ihr. Ich habe sie mit dem Besen in Schach gehalten.»

«Sicher doch», meint Annette und lehnt sich sanft gegen mich, «der Held, der bist du.»

Die Leiden des jungen N.

Sonntagmittag nach Weihnachten, Annette und ich sitzen noch beim Frühstück, Tee und Kaffee sind lau, die Kinder längst mit Nutella-Resten am Mund in ihre Zimmer verschwunden. Bis Nicolas mit einem Prospekt in der Hand neben dem Tisch auftaucht: «Also, am günstigsten ist der *Pyro Pack 300*», meint er: «Das klassische China-Böller Sortiment.»

«Ah ja?» Annette versteht sich auf die Kunst, ihre Stimme präzise in der Schwebe zu halten zwischen skeptischem Interesse für die jeweils neuste Marotte der männlichen Mitglieder ihrer Familie und der vorsichtig tastenden Frage nach deren Geisteszustand.

«Der *Pyro Pack 300*. Da ist echt alles drin», meint Nicolas und liest vor: «20 Kanonenschläge Kaliber A, 10 Kanonenschläge Kaliber D (kubisch), 70 Super-Böller II und 200 Pyro-Cracker – aber das sind natürlich nur so Pupser.»

«Natürlich.» Ich deute auf ein Angebot auf der Rückseite des Prospekts: «Wie wär's mit Luftpfeifern oder den Knallfröschen?»

«Mann, die sind für Kinder.» Er verzieht angewidert das Gesicht.

«Oder hier, die *Lady-Kracher*, die hatte ich in deinem Alter immer».

In Nicolas' Augen glimmt Mitgefühl auf angesichts meiner schweren Jugend. Die entsetzliche Vorstellung,

Sylvester mit einer Hand voll *Lady-Krachern* verbringen zu müssen, lenkt ihn aber immerhin so ab, dass Annette ihm den Prospekt aus der Hand nehmen kann.

«Diese Preise!» Sie beugt sich über das Blatt, schüttelt den Kopf. «Sieh dir das an: Fünfundvierzig Euro für einen *Mega-Familien-Pack*. Nur Knaller. Da kann man das Geld ja gleich verbrennen. Nein, lieber spenden: Brot statt Böller.»

Nicolas reagiert gefasster, als ich es erwartet hätte: Er fällt um, krümmt sich auf dem Boden, wälzt sich, strampelt, schreit, bekommt Schaum vor dem Mund: «Alle machen Feuerwerk! Ich will auch. Feuerwerk ist Tradition.»

«Mhm, Tradition», Annette nimmt ungerührt einen Schluck Tee und schaut zu ihrem konvulsivisch zuckenden Erstgeborenen hinab. «Okay, du hast Recht, es ist eine Tradition, aber eine miese.»

«Als wir in New York waren», stößt Nicolas hervor, «und die Typen da in China-Town mit Pappdrachen rumrannten und 'ne Million Kracher abbrannten, fandest du das toll. Tolle Tradition, hast du gesagt: Unheimlich ethnisch. Und bei uns meinst du, es ist mies.»

«Nie, ich würde niemals ‹unheimlich ethnisch› sagen», brummt Annette, «ich rede doch nicht wie die Fünf Tibeter.» Aber offenbar doch beeindruckt durch Nicolas' sublime kulturrelativistische Argumentation, wendet sie sich wieder dem Prospekt zu. «Immer willst du nur Knaller. Eine Rakete wäre viel schöner.»

Nicolas steht sofort neben ihr: «Klar, Raketen. Nimm doch *Big Bang*. Ist krass. Und für mich *Pyro Pack 300*.»

«*Big Bang*», liest Annette: «Bombenrohr Kaliber 55, Mörserabschuss mit zwei nacheinander zündenden Kugeleffekten: große purpurne Buketts mit Silberspitzen. Effekthöhe 60 Meter.» Sie schaut auf, leicht gequält.

«Mörser? Kaliber 55? Ich dachte an eine schlichte Rakete, so eine, die aus der Sektflasche startet.»

«Total out», sagt Nicolas. «Eine Rakete. Eine! Du macht uns echt lächerlich.»

«Wie wäre es mit einem Fontänen-Feuerwerk, ganz neu», schlage ich vor. «Das hier zum Beispiel, *Wild Horse*: 30 hochsteigende Silberschweif-Kometen, plus bunte Bombetten mit mächtigen Sonnenwirbel und Silberpfeifen. Nach halber Brenndauer zünden effektstarke Silberblütenfontänen mit Knattersternen. Brenndauer: 40 Sekunden, Effekthöhe: 50 Meter.»

«Voll gut», meint Nicolas, «das haben auch Schmitt-Lehmanns gekauft.»

«Ach, Schmitt-Lehmanns?», meint Annette spitz. «Schmitt-Lehmanns brennen das zu Sylvester ab?»

«Öh, jaha.» Nicolas klingt unsicher.

«Ich denke, dann brauchen wir *Competition*», entscheidet Annette und liest: «Batterie-Feuerwerk in markanter Pyramidenform, so kräftig wie eine Kämpfernatur! Großes Bukett und soundstarke Silberpfeifen. Feuertopf-Kaskaden mit grell-bunten Farbeffekten, kombiniert mit großkalibrigen Chrysanthemen-Sternen. Das wär ja noch schöner. Schmitt-Lehmanns! Hah.»

«Wird das reichen, Liebling?», frage ich. «Die Effekthöhe von *Competition* ist gerade mal 30 Meter. Wir sollten noch *Magic Flower* nehmen. Effekthöhe 80 Meter: Kombinationsfeuerwerk der Premiumklasse! Großkalibrige Feuertöpfe, Zirkelbomben und dazu Cracking-Salut.»

«Du hast recht», sagt Annette. «Außerdem: fünf von diesen *Big Bangs*, diesen Mörserdingern, dann noch *Hurrican* mit rasanten Leuchtwirbeln und schließlich *Victory* mit den Silberkometen. Das dürfte reichen.»

«Und», erinnert Nicolas, «mein *Pyro-Pack 300*?»

«Welche Effekthöhe hat der?», frage ich rhetorisch. «Effekthöhe Null.»

«Nein, kein *Pyro-Pack*-Mist», stimmt Annette zu, «deine Böller können Schmitt-Lehmanns sowieso nicht sehen. Lieber noch *Blockbuster*: Der Gigant für Profis, mit Helioswirbeln, Silberblüten-Fontänen in Übergröße und Feuersturm-Kometen als Finale. Das große 100-Schuß-Pyro-Spektakel. Das muss schon sein.»

Nicolas windet sich auf dem Boden, zuckt, winselt, hyperventiliert.

«Tja Nicolas», sagt Annette und schenkt sich Tee nach, «schlechte Zeiten, strenger Sparkurs dies Jahr.»

«Manchmal», sagt sie dann noch in meine Richtung, «manchmal ist es wirklich nicht leicht, den Kindern was abzuschlagen. Aber es muss sein.»

«Genau», pflichte ich ihr bei und schiele nach meiner Zeitung, «schon aus pädagogischen Gründen.»

Das Ende von etwas

Manchmal frage ich mich, was war zuerst da, der Mensch oder die Musik? Das ist nicht so leicht zu beantworten, wie Kinderlose vielleicht denken. Seinerzeit, als Nicolas Bro'Sis hörte, also vor fünf, sechs äonenfernen Monaten, spielte er noch Fußball mit mir, hatte gelegentlich Gel in den Haaren und war sicher, ihm könne nichts Schlimmes auf Erden passieren, solange er ein schwarzes Nike-T-Shirt trägt. Seit Eminem von ihm Besitz ergriff, bringt er seinen Brüdern all die Worte bei, die im Radio durch Pieptöne ersetzt werden, schwärmt er von beruflichen Tätigkeiten, bei denen man häufiger Schusswunden hat als unsereins Schluckauf und nimmt abends nicht mehr seinen alten Janosch-Tiger zum Schmusen mit ins Bett, sondern einen Basketball.

Hat Nicolas eine neue Musik gefunden, oder hat die Musik einen neuen Nicolas erfunden? Das Ganze ist geheimnisvoll. Wo ist der alte Nicolas hin? Wird er je wieder sein Zimmer aufräumen, nur damit ich mit ihm Fußball spiele? Wie konnten, obwohl sein Bewusstsein erwiesenermaßen vollständig auf die Begriffe «Casting» und «Carsten Spengemann» reduziert war, die niedergepiepten Vokabeln von Eminem bis zu ihm vordringen? Und wenn das einmal geklappt hat, könnten diese Vokabeln dann noch mal ausgetauscht werden? Gegen, sagen wir, Begriffe wie «erweiterter Infinitiv», «Dezimalbruch» oder sogar ein freundliches «Guten Morgen»? Oder verlange ich da zu viel vom Leben?

«Wenn du mit Hausaufgaben fertig bist», ich stehe in seinem Zimmer und spule souverän das ganze Repertoire meiner Erziehungstricks runter, «könnten wir zusammen Basketball spielen.»

«Wwahs?» Egal wann man Nicolas anspricht, in letzter Zeit taucht er immer wie ein U-Boot sanft hoch aus einem Meer von Träumen, ein feiner Wasserschleier scheint von seinen Periskop-Äuglein zu perlen und er fragt: «Wwahs?»

«Du», ich deute auf ihn, «Hausaufgaben. Dann», ich deute auf uns beide, «wir: Basketball. Kapiert?»

Er liegt auf dem Bett, hat sich den Ball unter den Kopf geschoben und schaut mich lange an. Schweigt. Öffnet schleppend die Lippen: «Würd gern mal gegen Kobe Bryant spielen oder Ben Wallace.»

Nicht gegen mich. Die genannten Herren tänzeln schweißglänzend über die Poster an Nicolas' Zimmerwänden, es sind drei Meter hohe Muskeltürme, sie können einen Basketball quer übers ganze Spielfeld präzise in jeden gewünschten Korb spucken. «Weissu», nuschelt Nicolas, «die sind schwarz, die haben Ahnung von Rap.»

«Rap, kenn ich auch, klar, Rap, sehr interessant. Ich sehe da literarische Wurzeln bei Walt Whitman und Allen Ginsbergs ‹Howl› ...», Nicolas' Augen werden trüb, «... na ja, und ich habe auf der letzten Buchmesse dem Erfinder des Rap die Hand geschüttelt.»

«Ächt?» Seine Lider flattern.

«Klar, Muhammad Ali», sage ich, «hat mir diese rechte Hand geschüttelt.» Ich strecke sie runter zu Nicolas. «Der größte Boxer aller Zeiten. Der Erfinder des Rap.»

«Wirklich?» Es gab Jahre, da glaubte mir Nicolas jedes Wort.

«Natürlich, Muhammad Ali! Vor dem Kampf gegen

Frazier auf den Philippinen rappte er: It will be a killer and a chiller and a thrilla, when I get the gorilla in Manila. Gut was? Da konnte dein Eminem noch nicht mal am Schnuller lutschen.»

Nicolas starrt weiterhin auf meine rechte Hand. Was vielleicht daran liegt, dass ich sie ihm weiterhin fünf Zentimeter vor seine Nase halte. «Is ja gut Alta», brummt er, «okay, werfen wirn paar Körbe.»

«Und deine Hausaufgaben?»

«Später», sagt er und wälzt sich in Zeitlupe von der Matratze, «später. Kannst mir dann bei helfen.»

«Echt?» sage ich. «Kann ich? Cool.» Ich schnapp mir den Ball, gehe raus zum Korb an der Garage und dribble mich schon mal warm und warte, wann Nicolas es endlich mit beiden Füßen bis in seine Turnschuhe schafft.

Was vom Vater übrig blieb

Ein blauer Müllsack ist ein blauer Müllsack ist ein blauer Müllsack. Es sei denn, der blaue Müllsack liegt bei uns im Haus zwischen den Kinderzimmern im Flur. Dort ist es dann kein blauer Müllsack, sondern ein stummes Ultimatum: Nämlich die dringende elterliche Aufforderung an die Bewohner der Zimmer, die knöchelhoch die Böden überziehenden Reste ihrer Freizeitgestaltung zu sichten und zu lichten. Und dazu die Drohung, alles was am nächsten Morgen noch die Böden überziehen sollte, künftig in Händen der städtischen Deponieverwaltung zu wissen. Ein klares, einfaches, ehernes Erziehungsprinzip, meine Erfindung. Der Haken an der Sache ist allerdings, dass ich noch nie den Mut aufbrachte, die erwähnte Drohung wahr zu machen.

Es war einmal an einem Freitagmorgen, da verspürte ich in mir feste väterliche Entschlossenheit. Annette und die Kinder hatten dem Haus den Rücken gekehrt, als ich, das blaue Erziehungsinstrument in der geballten Faust, auszog pädagogischen Schrecken zu verbreiten. Gerade wollte ich ein Dutzend Playmobil-Figuren dem inzwischen gut gefüllten Sack hinzufügen, als sich ein schwarz gekleideter Butler samt Fliege und Bowler in meiner Hand zu Wort meldete: «Mein Herr, bitte gestatten Sie mir die Anmerkung: Es wäre ein empfindlicher Fehler, mich wegzuwerfen.»

«Das sagen sie alle», brummte ich.

«Ich bin erfreut, mich derzeit als die bevorzugte Spielfigur Ihres Sohnes betrachten zu dürfen.» Er sprach mit leicht englischem Akzent.

«Ein Butler? Ist das Ihr Ernst?»

«Gewiss doch. Ihr Sohn erwarb mich vergangene Woche, und seither hatte ich die Ehre, ihm in allen Spielen zur Verfügung zu stehen. Er wäre erschüttert, mich nach seiner Rückkehr nicht vorzufinden.»

«Ich möchte», maulte es tief unten aus dem Plastiksack, «auch nicht in Ihrer Haut stecken, wenn Nicolas feststellt, was Sie mit seiner Eminem-CD gemacht haben.»

«Und Marten erst!», protestierte der *Was-ist-was*-Band, der gleich neben der CD seiner Entsorgung entgegenging. «Was denken Sie sich eigentlich? Wir sind doch nicht irgendein Spielkram. Ihre Kinder sind emotional an uns gebunden. Wir verschaffen ihnen Übergangsräume.»

«Übergangsräume?» Es gab möglicherweise Momente, in denen ich intelligenter aussah als in diesem.

«Sagen Sie bloß», die Stimme des *Was-ist-was*-Bandes wurde schrill, «Sie kennen Winnicott nicht?»

«Donald Woods Winnicott», sprang mir der Butler bei, «britischer Kinderarzt und Psychoanalytiker, entdeckte das Prinzip der Übergangsräume: Das sind Gegenstände oder Orte, die es Kindern erlauben, vorübergehend nicht so genau zwischen innerer und äußerer Realität unterscheiden zu müssen, Gegenstände oder Orte also, die dafür sorgen, dass sie im Wachen träumen können. Unter Fachleuten wird dies als äußerst wichtig für die kindliche Entwicklung betrachtet.»

«Wenn Nicolas mich hört», die CD sprach langsam mit mir und betont deutlich wie mit einem Kretin, was sehr demütigend war, «ist er sowohl Nicolas als auch der Eminem seiner juvenilen Vorstellungswelt. Kapiert?» Ich nickte zögernd.

«Was für ein Ignorant», fauchte der *Was-ist-was*-Band, «kennt Winnicott nicht. Von so jemandem soll man sich wegschmeißen lassen. In was für Zeiten leben wir?»

«Mit Verlaub, Sie sollten», der Butler verbeugte sich leicht in Richtung Buch, «nicht vorschnell urteilen. Der Herr», jetzt verbeugte er sich leicht in meine Richtung, «hat ja noch die Möglichkeit, seinen eklatanten Fehler zu korrigieren.»

Die drei starrten mich an. Ich starrte zurück. Nach langen, bleiernen Minuten begann ich, alles, was sich im Sack befand, schweigend auf die Zimmerböden zurück zu legen. Dann schloss ich lautlos die Türen, lehnte mich im Flur gegen die Wand und wischte den Schweiß von der Stirn. Ich fühlte mich müde, sehr müde. Dann horchte ich noch lange auf das Gewisper der Dinge in den Zimmern. «... kennt Winnicott nicht ... Unglaublich! ... Ein Barbar! ... Und so was hat Kinder...»